Clément Robillard
Antonio Gravel
Stéphane Robitaille

TRUCS ET ASTUCES POUR APPRENDRE À APPRENDRE

GB
Beauchemin

COMPLÈTEMENT Metho
Trucs et astuces pour apprendre à apprendre
Clément Robillard, Antonio Gravel, Stéphane Robitaille

3281, avenue Jean-Béraud
Laval (Québec) H7T 2L2
Téléphone : (514) 334-5912
1 800 361-4504
Télécopieur : (450) 688-6269
www.beaucheminediteur.com

Le gouvernement du Canada contribue financièrement à nos activités d'édition par l'entremise du Programme d'aide au développement de l'industrie de l'édition (PADIÉ).

ISBN: 2-7616-1351-1

Dépôt légal : 2e trimestre 2002
Bibliothèque nationale du Québec
Bibliothèque nationale du Canada

Imprimé au Canada
1 2 3 4 5 05 04 03 02

Supervision éditoriale
Pierre Fournier

Chargée de projet
Hélène Léveillé

Production
Michel Perron

Révision linguistique
Suzanne Teasdale

Conception graphique et réalisation
Bizier & Bouchard

Correction d'épreuves
Michèle Péloquin

Illustrations
Patrick Bizier/François Labelle

Les auteurs remercient les personnes suivantes pour leur apport au contenu du présent ouvrage :
Madame Jocelyne Giasson (lecture), Mesdames Louise Côté et Monique Bernard, (production d'un texte, résolution de problèmes, recherche documentaire, apprentissage coopératif). Ils remercient également Laurenne Turcotte, Sylvia Berberi, Simon Robillard, Hélène Couët, Louise Demers, Berdj Garabedian et Anne-Marie Kelly pour leur collaboration.

TABLE DES MATIÈRES

Es-tu COMPLÈTEMENT MÉTHO ?

QU'EST-CE QUE COMPLÈTEMENT MÉTHO?

Complètement Métho est un guide qui vous aide à réfléchir et à apprendre.
Apprendre, c'est construire des connaissances. Pour apprendre, nous avons besoin d'agir et de réfléchir :

- à ce que nous voulons faire,
- à ce que nous savons déjà faire,
- à notre manière de faire.

Quand nous construisons nos connaissances, nous sommes à la fois :

- l'architecte qui dessine les plans,
- l'artisan ou l'artisane qui réalise le travail,
- le contremaître ou la contremaîtresse qui vérifie si l'objectif est atteint.

Pour construire nos connaissances, nous avons donc besoin de bons outils. *Complètement Métho* est un de ces outils.

POURQUOI UTILISER COMPLÈTEMENT MÉTHO?

Complètement Métho vous permet d'apprendre à acquérir une méthode de travail efficace et à utiliser des techniques simples qui vous aideront à mieux faire fonctionner votre cerveau. Il vous fait aussi découvrir des stratégies qui vous aideront à mieux lire, à mieux écrire, à résoudre des problèmes, à faire des recherches et des exposés oraux.

De plus, *Complètement Métho* vous amène à mieux vous motiver, à travailler en équipe, à bien organiser votre temps et à préparer vos examens.

QUAND UTILISER *COMPLÈTEMENT MÉTHO*?

Vous pouvez utiliser *Complètement Métho* tous les jours, à l'école ou à la maison, comme tout autre ouvrage de référence, un dictionnaire, un code grammatical, un atlas ou une encyclopédie, par exemple.

Voici une première illustration de la façon dont on peut utiliser *Complètement Métho*. Supposons que votre projet consiste à préparer un exposé oral et à rédiger un texte informatif sur une nation amérindienne du Canada...

Pour réaliser ce projet, vous devez :

- faire une recherche dans les livres et dans Internet ;
- planifier et faire un exposé oral ;
- planifier et rédiger un texte informatif.

Vous trouverez dans *Complètement Métho* tous les renseignements sur les méthodes, les stratégies et les démarches qui vous aideront dans votre travail.

COMMENT UTILISER *COMPLÈTEMENT MÉTHO*?

Pour bien utiliser ce guide :

- Je réfléchis à la tâche que j'ai à réaliser.
- Je décide de la stratégie ou de la méthode dont j'ai besoin.
- Je cherche cette stratégie ou cette méthode dans la table des matières ou dans l'index qui se trouve à la fin du livre.
- Je lis cette stratégie ou cette méthode et je l'applique pour réaliser ma tâche.

COMMENT FONCTIONNE LE CERVEAU

La position du cerveau et du système nerveux

Enfermé dans notre boîte crânienne, notre cerveau est en contact avec le monde extérieur par le biais des cinq sens — la vue, l'ouïe, l'odorat, le goût et le toucher — auxquels nous pouvons ajouter le sens de l'équilibre et de la position de notre corps dans l'espace. Toujours aux aguets, nos sens captent simultanément une foule de messages et les envoient directement au cerveau. Véritable tour de contrôle, le cerveau traite alors tous les éléments d'information qui lui sont transmis en suivant un ordre de priorité.

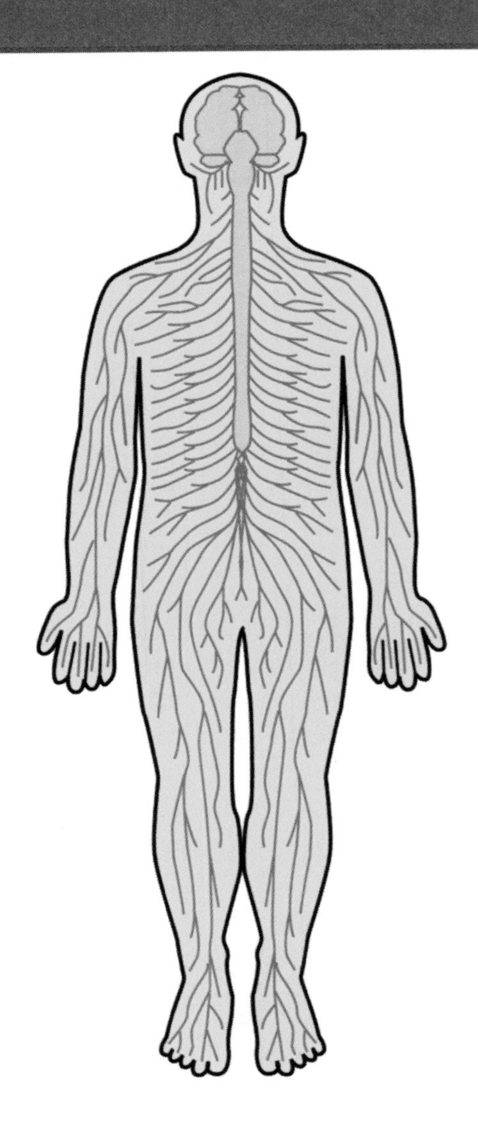

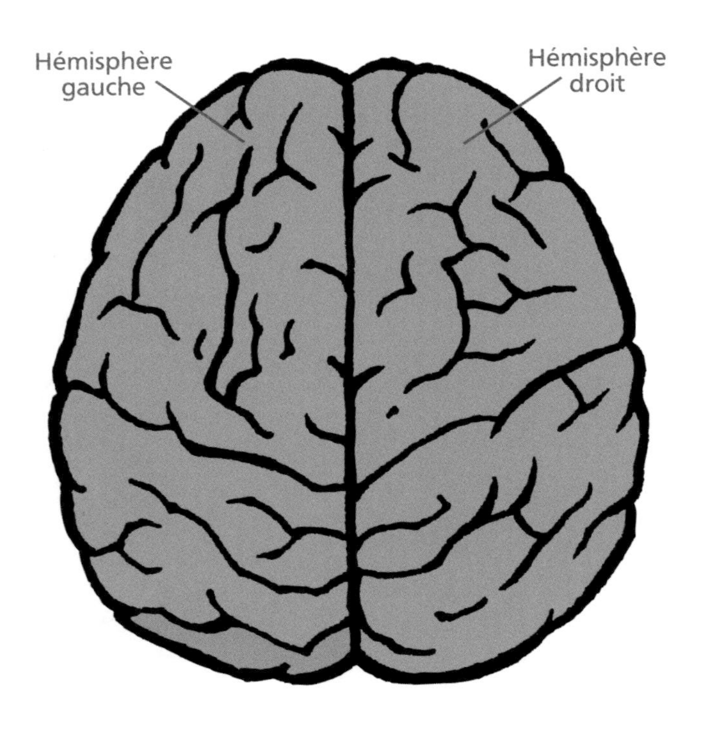

Les deux hémisphères du cerveau (vus d'en haut)
Le cerveau humain pèse environ 1350 grammes et se divise en deux hémisphères. L'hémisphère gauche et l'hémisphère droit sont reliés par le corps calleux, une épaisse bande de fibres qui permet aux deux hémisphères de communiquer entre eux.

En voici un exemple :

1. Selon l'odeur qui se dégage d'un chaudron et les gros bouillons qu'elle entend et qu'elle voit à la surface du liquide, Cynthia sait que la soupe est prête. Elle saisit le manche du chaudron, mais quelque chose ne va pas.
2. Au contact du manche brûlant, les nerfs de sa main envoient au cerveau un message d'alarme sous forme d'influx nerveux.
3. Ce «courant électrique» des plus rapides atteint le cerveau en une fraction de seconde. À cause de la douleur, le cerveau traite ce message en priorité.
4. Il envoie donc un autre influx nerveux qui ordonne aux muscles de la main et du bras gauches de s'éloigner immédiatement de la source de chaleur.

Tout cela s'est produit en une fraction de seconde, mais Cynthia s'est quand même légèrement brûlé à la main. Elle réfléchit alors à ce qui vient de se passer. Elle fait des liens entre les messages que lui avaient transmis ses sens, son geste d'inattention et sa brûlure. Les associations que fait ainsi Cynthia lui permettent de graver dans sa mémoire les circonstances de l'événement afin d'éviter d'autres incidents semblables. Cette réflexion fixe dans la mémoire ce que Cynthia vient d'apprendre. Allons donc voir ce qui s'est passé dans sa tête sous l'œil grossissant d'un microscope.

Les neurones, ces travailleurs du cerveau

Quand nous apprenons, tout le travail du cerveau est accompli par les neurones. Notre cerveau contient 100 milliards de neurones (100 000 000 000) qui sont reliés entre eux par des dizaines de millions de connexions. Chacun de ces neurones peut établir jusqu'à 10 000 connexions dont la fonction est de communiquer entre eux, en s'envoyant des messages sous forme de substances chimiques.

L'apprentissage se produit quand des neurones se connectent l'un à l'autre.

Que s'est-il passé dans le cas de Cynthia ?

Les neurones activés par la sensation de brûlure ont envoyé les messages de la main vers le cerveau, puis du cerveau vers la main. Voici comment ils ont procédé : le neurone **A** a transmis un message au neurone **B** puis au neurone **C**, etc. L'information a voyagé en passant par les synapses de l'axone du neurone **A** vers les dendrites du neurone **B**. Son passage a créé un réseau entre les cellules de Cynthia.

Les messages voyagent toujours de l'axone du neurone transmetteur vers les dendrites du neurone receveur à travers un espace appelé une **synapse**. La synapse est la zone de contact entre les terminaisons axonales du neurone transmetteur et les dendrites du neurone receveur. Les neurones ne se touchent pas entre eux.

L'expérience de Cynthia a laissé des souvenirs dans son cerveau. Les réseaux de neurones vont garder en mémoire toutes les circonstances de l'incident. Le cerveau et le corps de Cynthia ont appris qu'il faut vite retirer la main d'une surface brûlante — ou préférablement l'éviter — dès que les sens transmettent des signaux de mise en garde.

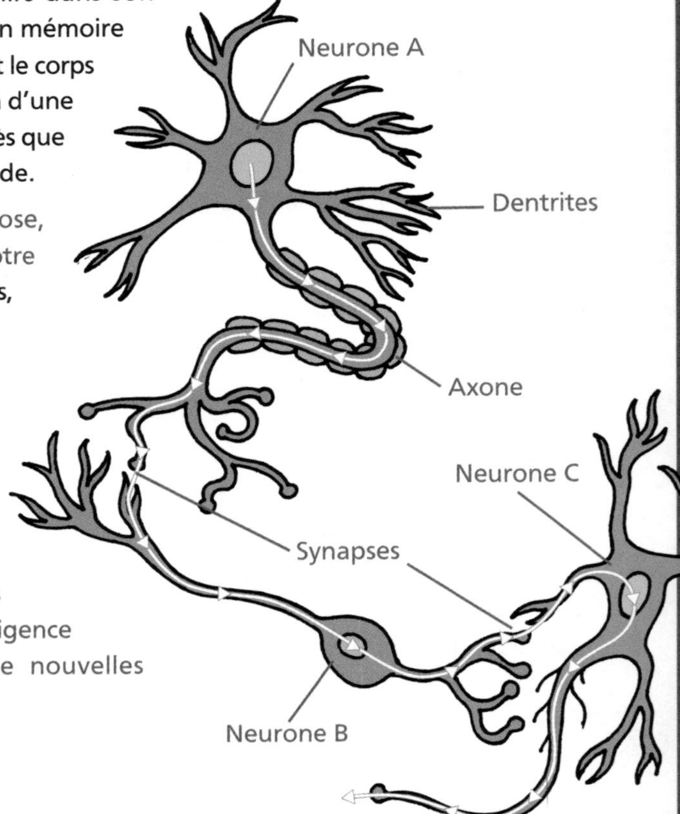

Chaque fois que nous apprenons quelque chose, des connexions se créent entre les neurones de notre cerveau. Lorsque nous réactivons les mêmes circuits, nos apprentissages se gravent dans notre mémoire et il nous est alors plus facile de mettre en application ce que nous avons appris.

Ainsi, grâce aux éléments d'information que lui transmettent les sens, notre cerveau analyse tout ce qui se passe autour de lui et, chaque fois qu'il fait face à une nouvelle expérience, ses neurones s'adaptent et perfectionnent leurs réponses aux situations de notre vie. Notre intelligence se développe chaque fois que s'ajoutent de nouvelles connexions.

Les principales composantes de notre cerveau

Ariane est en train de dessiner. Plusieurs parties de son cerveau s'activent pour lui permettre de réaliser son dessin. L'illustration ci-dessous nous montre quelques-unes des importantes composantes du cerveau humain.

Thalamus :
Il peut être comparé à une station relais par laquelle passent tous les éléments d'information en provenance de nos sens (sauf l'odorat) avant d'être acheminés vers le cortex.

Cortex :
Cette couche supérieure de neurones règle nos pensées, nos mouvements, nos sensations et nos réalisations.

Hippocampes :
Les deux hippocampes, un par hémisphère, sont les organes en grande partie responsables de nos apprentissages, puisqu'ils nous permettent de former des connaissances à long terme. Leur rôle est de cataloguer les connaissances, de rappeler les éléments d'information et de les envoyer aux différentes parties du cerveau responsables de la mémoire à long terme.

Cervelet :
Il est responsable d'emmagasiner et de faire exécuter — sans que nous ayons à y penser — toutes les habiletés que nous possédons déjà : aller à bicyclette, sauter à la corde, écrire notre nom.

Amygdale :
Connectée à plusieurs régions du cerveau, elle est responsable du sens et de l'association des émotions aux éléments présents dans notre mémoire. Elle joue le rôle le plus important dans le contrôle de nos émotions. C'est elle qui donne le signal d'alarme qui nous permet de réagir de façon appropriée.

Moelle épinière :
Véritable autoroute nerveuse, la moelle épinière est logée à l'intérieur de la colonne vertébrale ; elle assure la communication entre le cerveau et les autres parties de notre corps.

En considérant la fonction de ces quelques composantes de notre cerveau, nous constatons l'importance des émotions. De récentes découvertes ont d'ailleurs prouvé que les émotions interviennent à toutes les étapes du processus d'apprentissage. Voilà pourquoi on insiste tant pour que tu développes ton intelligence interpersonnelle et ton intelligence introspective.

COMMENT FONCTIONNE LE CERVEAU [suite]

Les lobes de notre cerveau

Les chercheurs divisent le cerveau en quatre zones ou régions appelées lobes. Ces quatre lobes — que l'on trouve dans chacun des deux hémisphères du cerveau — remplissent des fonctions différentes, mais toujours complémentaires. C'est dans les lobes que se logent les différents types d'intelligences*.

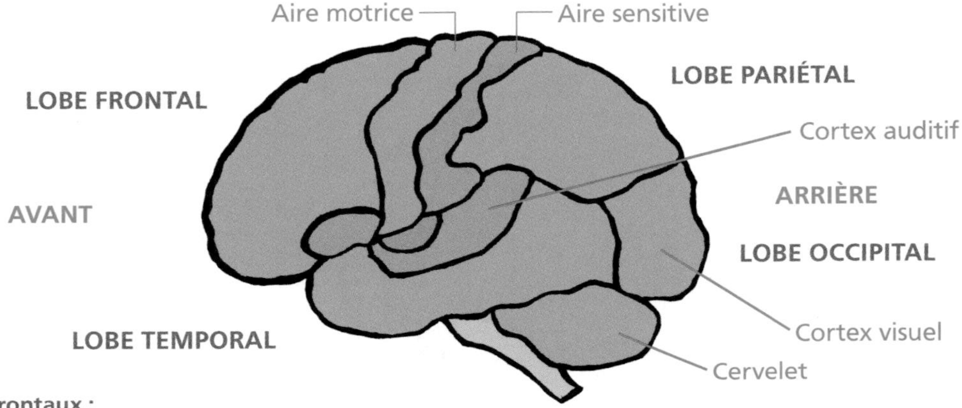

Lobes frontaux :

Les lobes frontaux occupent la partie avant du cerveau. Cette partie du cerveau nous rend capables, par exemple, de planifier, de prendre des décisions, de résoudre des problèmes, de créer, d'engager des conversations, de prendre conscience de nos actions. Les lobes frontaux englobent aussi la zone appelée «cortex moteur» qui permet au cerveau de commander le mouvement des muscles. (Intelligence logique et mathématique, intelligence émotionnelle.)

Lobes pariétaux :

Chaque lobe pariétal a des fonctions différentes mais complémentaires. La zone appelée «cortex sensoriel» permet au cerveau de percevoir, pour l'ensemble de notre corps, les différentes sensations physiques (le froid, le chaud, le doux, le rugueux, le piquant, le douloureux, etc.). (Intelligence kinesthésique et intelligence naturaliste.)

Lobes occipitaux :

Située à l'arrière de la tête, cette zone du cerveau est le centre de la vue. (Intelligence spatiale et visuelle)

Lobes temporaux :

Situés de chaque côté du cerveau, juste sous l'oreille, ils contribuent au sens de l'équilibre et ont un rôle à jouer sur le plan de l'odorat, du goût, de l'ouïe, des associations visuelles, de certains aspects de la mémoire et de la perception de soi. (Intelligence musicale et intelligence verbale.)

Notre cerveau possède des ressources inimaginables, mais il est nécessaire d'apprendre à bien s'en servir afin de l'utiliser au maximum. Ainsi, les stratégies que tu trouveras dans *Complètement Métho* t'aideront à exploiter le mieux possible les ressources de ton cerveau. Et puisque chacun apprend à sa façon, nous t'encourageons à noter tes stratégies personnelles.

* Amuse-toi à découvrir les caractéristiques de ton cerveau avec le jeu d'identification « Je découvre mes intelligences » en couverture de cet ouvrage.

Les besoins physiques de notre cerveau

L'alimentation

Quoique très petit par rapport au reste de notre corps, notre cerveau utilise à lui seul 20 % de toute notre énergie. Cette énergie lui est fournie par les aliments que nous consommons. Les aliments ne produisent pas tous les mêmes effets sur le cerveau : certains aliments, en produisant beaucoup d'énergie, rendent notre cerveau plus alerte, plus attentif et plus efficace. Par contre, d'autres aliments ont des effets nuisibles sur notre cerveau.

Notre cerveau a besoin d'une incroyable quantité d'eau pour fonctionner convenablement puisque l'eau favorise la circulation des messages. Pour que notre cerveau fournisse son plein rendement, il nous faut boire de 8 à 12 verres d'eau par jour.

Des aliments qui aident le cerveau à bien fonctionner

Le matin : lait, yogourt, œufs, fromage, rôties de céréales entières, fruits.

Le midi : poissons, viandes maigres, produits de soya, noix, légumineuses de toutes sortes, légumes verts, fruits.

À ÉVITER

- Le sucre que l'on trouve dans les gommes à mâcher, les boissons gazeuses, certains jus de fruits sont nuisibles au fonctionnement du cerveau. L'aspartame, un sucre artificiel industriel, est aussi à bannir.
- Les pâtes alimentaires faites de farine blanchie chimiquement (spaghetti, macaroni, etc.) sont aussi nuisibles. Ces hydrates de carbone ralentissent le fonctionnement du cerveau. Il vaut mieux réserver ces pâtes tant appréciées aux repas du soir ou de fin de semaine.

COMMENT FONCTIONNE LE CERVEAU [suite]

Le sommeil

Lorsque nous dormons, notre cerveau reste en activité. La nuit, notre corps se repose, mais notre cerveau traite les éléments d'information qu'il a reçus pendant le jour et fixe les apprentissages.

L'exercice

L'exercice joue un rôle important en ce qui concerne la création de réseaux de neurones tout en favorisant la circulation sanguine qui apporte au cerveau ce dont il a besoin pour fonctionner. Par ailleurs, comme nous l'a prouvé l'exemple de Cynthia, on n'apprend pas qu'avec notre tête ! Il faut donc rester en forme, c'est ce qui nous aide aussi à fixer notre attention sur ce que nous devons faire et apprendre.

La sécurité

Il est important de rester en forme et de respecter les règles de sécurité. La nature a voulu que notre crâne soit très dur afin de protéger notre cerveau. Il est essentiel que nous le protégions davantage lors d'activités sportives comme le hockey, la bicyclette, etc. Nous devrions donc toujours porter un casque lorsque nous allons à bicyclette. Même de petits chocs peuvent endommager les cellules du cerveau. Contrairement aux cellules de la peau qui se régénèrent — quand on se coupe, par exemple —, les cellules nerveuses, une fois détruites, ne se renouvellent pas.

COMMENT AMÉLIORER NOTRE ATTENTION

Pour apprendre quelque chose ou réussir n'importe quel travail scolaire, nous devons prêter une grande attention à ce que nous faisons. C'est notre cerveau qui génère, guide et contrôle notre attention.

Voici quelques trucs pour accroître notre concentration et notre attention.

- **Je me donne une intention de départ.**
  Par exemple, je précise mon projet et j'en planifie les étapes de réalisation ;
  si j'ai à répondre à une question, je m'assure de bien la comprendre ;
  avant de lire un texte, je précise mes intentions de lecture.

Pourquoi?
Notre mémoire de travail a besoin d'avoir un but précis pour mettre en action les circuits de neurones nécessaires à la réalisation d'une tâche.

- **Je m'assure de toujours garder en mémoire le but de mon travail.**

Pourquoi?
Quand l'intention disparaît de la mémoire de travail, notre cerveau cesse d'activer les réseaux de neurones. Et il ne peut y avoir d'activité mentale sans connexions entre les neurones.

- **Si la tâche est complexe, par exemple écrire un texte ou faire une recherche, je planifie les étapes et je les exécute l'une après l'autre.**

Pourquoi?
Ne faire qu'une chose à la fois libère de l'espace dans la mémoire de travail. Celle-ci peut donc activer les réseaux de neurones nécessaires à la réalisation de cette tâche.

- **Toutes les quinze minutes, je me donne un temps d'arrêt de deux à cinq minutes.**

Pourquoi?
Ces brefs temps d'arrêt permettent d'établir des connexions solides entre les neurones et de renforcer les synapses (page 8).

1 COMMENT SE MOTIVER

SOMMAIRE

Nous entretenons tous et toutes dans notre mémoire émotionnelle des pensées qui nous motivent et d'autres qui nous démotivent. Ces pensées, positives ou négatives, nous les avons construites nous-mêmes à partir de nos expériences passées.

PENSER QUE L'INTELLIGENCE ÉVOLUE

Certaines personnes **ont enregistré dans leur mémoire sémantique** (mémoire du sens des mots) l'idée que l'intelligence est donnée une fois pour toutes à la naissance. D'autres croient plutôt que l'intelligence prend des formes multiples et qu'elle évolue avec le temps.

Si le nombre de neurones n'augmente pas, le nombre de connexions entre les neurones, lui, est illimité. On dit que le cerveau se développe avec le temps puisque toute notre vie, nos expériences provoquent de plus en plus de connexions entre nos neurones. Plus les neurones communiquent entre eux, plus ils établissent de réseaux, plus nous apprenons et plus notre intelligence se développe.

Pensées positives

SI JE PENSE QUE L'INTELLIGENCE SE DÉVELOPPE AVEC LE TEMPS,

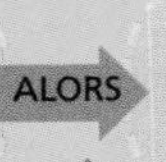

JE SAIS QU'IL Y A DES CHOSES QUE JE DOIS FAIRE POUR APPRENDRE.

JE PENSE QUE JE PEUX RÉUSSIR.

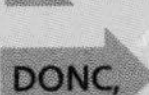

JE FAIS DES EFFORTS.

Pensées négatives

SI JE PENSE QUE MON INTELLIGENCE EST DÉTERMINÉE UNE FOIS POUR TOUTES À MA NAISSANCE,

DÈS QUE J'AI DES DIFFICULTÉS, JE NE CROIS PAS QUE JE POSSÈDE UNE INTELLIGENCE SUFFISANTE,

JE PENSE QU'IL EST INUTILE DE FAIRE DES EFFORTS PUISQUE LES RÉSULTATS SERONT DE TOUTE FAÇON NÉGATIFS,

JE NE FAIS PAS D'EFFORTS.

ATTENTION !

Voici quelques trucs pour vous convaincre que l'intelligence évolue :

1. Réfléchissez à tout ce que vous avez appris depuis que vous allez à l'école.
2. Dites-vous que votre potentiel intellectuel se développe chaque fois que vous ajoutez une connaissance, une habileté ou une nouvelle stratégie à votre mémoire.
3. Dites-vous que tout s'apprend :
   - si vous avez l'aide de quelqu'un ;
   - si vous utilisez des stratégies et des méthodes efficaces ;
   - si vous faites des efforts.

PENSER QUE JE PEUX EXÉCUTER EFFICACEMENT UNE TÂCHE

Il est plus facile de faire des efforts quand on sait ce qu'il faut faire pour accomplir une tâche.

Par contre, quand on a l'impression de ne pas savoir vraiment quoi faire, on a tendance à abandonner et à ne plus faire d'efforts.

Pensées positives

DEVANT UNE TÂCHE À ACCOMPLIR, → SI JE SAIS EXACTEMENT QUOI FAIRE POUR L'ACCOMPLIR,

ALORS

CETTE PENSÉE ME MOTIVE. DONC, → JE M'ENGAGE DANS CETTE TÂCHE EN PRENANT LES BONS MOYENS POUR LA RÉUSSIR.

Pensées négatives

DEVANT UNE TÂCHE À ACCOMPLIR, → SI J'AI L'IMPRESSION DE NE PAS SAVOIR QUOI FAIRE POUR L'ACCOMPLIR,

ALORS

CETTE PENSÉE ME DÉMOTIVE. DONC, → JE NE M'IMPLIQUE PAS DANS LA RÉALISATION DE CETTE TÂCHE.

ATTENTION !

Voici quelques trucs pour vous convaincre que vous pouvez exécuter efficacement une tâche :

1. Réfléchissez de manière à bien comprendre la tâche que vous devez accomplir.
2. Rappelez-vous tout ce que vous savez et tout ce que vous êtes capable de faire.
3. Demandez l'aide d'une personne experte.
4. Dites-vous que tout s'apprend avec une bonne méthode, de bonnes stratégies et de l'aide.

SOMMAIRE

PENSER QUE JE SUIS RESPONSABLE DE MES RÉUSSITES ET DE MES ÉCHECS

Vous arrive-t-il de penser ?...

- J'ai réussi parce que j'ai eu de la chance.
- J'ai réussi parce que c'était facile.
- J'ai réussi parce que j'ai un bon enseignant, une bonne enseignante.
- J'ai échoué parce que j'ai joué de malchance.
- J'ai échoué parce que c'était difficile.
- J'ai échoué parce que je n'ai pas un bon enseignant, une bonne enseignante.

Si c'est le cas, vous avez tendance à expliquer vos réussites ou vos échecs par une cause **que vous ne contrôlez pas.**

En effet, vous n'avez aucun contrôle sur la chance ou la malchance, sur le degré de facilité ou de difficulté d'une tâche, ni sur la façon dont on vous enseigne une matière.

Vous arrive-t-il de penser ?...

- J'ai réussi parce que j'ai fait les efforts nécessaires.
- J'ai réussi parce que j'ai mis en pratique tout ce que je sais.
- J'ai réussi parce que j'ai utilisé des stratégies et une méthode efficaces.
- J'ai échoué parce que je n'ai pas fait tous les efforts que j'aurais dû faire.
- J'ai échoué parce que je n'ai pas mis en pratique tout ce que je sais.
- J'ai échoué parce que je n'ai pas utilisé des stratégies et une méthode efficaces.

Si c'est le cas, vous avez tendance à expliquer vos réussites ou vos échecs par une cause **que vous contrôlez.**

En effet, c'est vous qui choisissez de faire ou de ne pas faire d'efforts. C'est vous aussi qui décidez de la stratégie ou de la méthode que vous allez utiliser.

Pensées positives

SI J'EXPLIQUE MES ÉCHECS OU MES RÉUSSITES PAR LES EFFORTS QUE JE FOURNIS, → ALORS → JE ME SENS EN POSITION DE CONTRÔLE PUISQUE JE PEUX FAIRE VARIER LA QUANTITÉ DE MES EFFORTS. → DONC, → J'AI UNE BONNE MOTIVATION, ET MA RÉUSSITE OU MON ÉCHEC DÉPENDENT DE MOI SEULEMENT.

SI J'EXPLIQUE MES RÉUSSITES ET MES ÉCHECS PAR MA MANIÈRE DE FAIRE, C'EST-À-DIRE PAR L'UTILISATION DE BONNES OU DE MAUVAISES STRATÉGIES, → ALORS → JE ME SENS EN POSITION DE CONTRÔLE PUISQUE JE PEUX CHANGER MA MANIÈRE DE FAIRE OU DEMANDER DE L'AIDE. → DONC, → J'AI UNE BONNE MOTIVATION, ET MA RÉUSSITE OU MON ÉCHEC DÉPENDENT DE MOI SEULEMENT.

ATTENTION !

Voici quelques trucs pour vous convaincre que vous êtes responsable de vos réussites et de vos échecs :

1. Pensez à ce sur quoi vous pouvez avoir le contrôle :
   - votre manière de travailler ;
   - vos stratégies et vos méthodes ;
   - vos efforts ;
   - votre implication dans la tâche.
2. Demandez que l'on vous explique ce qu'il faut faire pour réussir une tâche.
3. Pensez à utiliser tout ce que vous savez.

N'oubliez pas que votre mémoire sémantique renferme l'ensemble de vos connaissances, de vos stratégies et de vos méthodes.

N'oubliez pas non plus que c'est votre mémoire de travail que vous utilisez pour créer de nouveaux réseaux de neurones. C'est dans votre mémoire de travail que vous associez des connaissances que vous avez déjà à des connaissances nouvelles.

Votre mémoire émotionnelle renferme vos souvenirs, tant positifs que négatifs. Votre mémoire émotionnelle est la plus puissante des mémoires. Elle a tendance à prendre le contrôle sur les autres types de mémoires. Prudence ! Ne laissez pas les pensées négatives envahir votre mémoire de travail.

2 COMMENT TRAVAILLER AVEC MÉTHODE

SOMMAIRE

Pour apprendre et pour réaliser nos projets, nous avons besoin d'une méthode.

Ainsi, pour construire une maison, il faut :

- **Planifier le travail :** c'est le rôle de l'architecte, qui décide du nombre de pièces, choisit les matériaux, dessine les plans.
- **Contrôler l'exécution de la tâche :** c'est le rôle du contremaître ou de la contremaîtresse qui vérifie si le travail avance bien.
- **Évaluer le travail en cours :** l'architecte, le contremaître ou la contremaîtresse et les ouvriers ou les ouvrières discutent pour s'assurer que la construction de la maison se déroule bien.

Pour apprendre et pour réaliser un projet, il faut utiliser une méthode qui nous oblige à être à la fois architecte, contremaître et ouvrier. Cette méthode nous permet de réaliser tous nos projets scolaires.

1. Planifier le travail

Pour bien planifier mon travail :

- Je décide de ce que je veux faire : je me fixe un but, je précise mon projet.
- Je choisis les outils dont j'ai besoin : connaissances, habiletés, stratégies.
- Je choisis le matériel nécessaire : manuels, cartes, crayons, logiciels, Internet, etc.
- Je précise les étapes de la réalisation.
- J'ai en tête une bonne idée du résultat final.

2. Contrôler l'exécution de la tâche

Pour contrôler efficacement l'exécution de ma tâche :

- Je garde toujours mon but, mon objectif à l'esprit.
- J'exécute la tâche en suivant mon plan et sans négliger aucun des éléments que je veux réaliser.
- Je me demande si je suis sur la bonne voie.

3. Évaluer le travail en cours

Pour vérifier si mes efforts sont bien concentrés sur les buts à atteindre :

- Tout au long du travail, j'évalue les résultats obtenus et je réfléchis à ce qu'il faut faire pour améliorer le produit final.
- Je me demande si les résultats correspondent aux buts fixés.
- Je fais le bilan de mon travail.
- Je juge de l'efficacité de mon plan.

Comme vous pouvez le constater, une méthode de travail exige que vous soyez en même temps :

- l'architecte qui décide des matériaux et dessine les plans ;
- le contremaître ou la contremaîtresse qui supervise le travail ;
- l'ouvrier ou l'ouvrière qui construit la maison.

3 COMMENT COOPÉRER

SOMMAIRE

Pour construire une maison, il faut que les architectes, les contremaîtres ou les contremaîtresses ainsi que les différents corps de métiers collaborent. C'est la combinaison des connaissances et des efforts de toutes ces personnes qui donne le résultat voulu.

Il en va de même pour la construction de nos connaissances. Pour apprendre, il faut collaborer et échanger avec les autres.

Nous pouvons apprendre à coopérer comme nous pouvons apprendre à lire, à écrire, à faire une recherche ou à résoudre des problèmes.

QUE SIGNIFIE COOPÉRER?

Coopérer signifie travailler ensemble pour :

- Définir un but ou un projet commun à tout le groupe.
- Planifier le travail et partager les tâches selon les habiletés et les connaissances de chacun et de chacune.
  De cette manière, chaque membre de l'équipe fait sa part. Personne n'en fait plus, ni moins, que les autres.
- Partager les responsabilités.
  On partage les responsabilités pour que chacun et chacune se sente responsable du projet commun et de sa réussite.
- Partager les réussites et les bénéfices.

POURQUOI COOPÉRER?

Nous coopérons parce que :

- Certains projets longs ou difficiles sont impossibles à réaliser individuellement.
- Travailler avec les autres peut être plus motivant : quand on fait face à un problème, on peut demander de l'aide ou un conseil.
- Travailler avec les autres nous permet de partager leurs idées et leurs connaissances.
- Des discussions respectueuses, surtout quand personne n'est d'accord, nous obligent à réfléchir davantage avant d'expliquer notre point de vue.
- Cela nous demande de réfléchir d'une autre façon.

QUAND COOPÉRER?

Nous pouvons coopérer dans différentes situations.

- Écrire un texte.

Exemple

On peut réaliser ensemble les tâches reliées à l'élaboration du plan et à la révision du texte.

- Avant la lecture : préparer sa lecture.

Exemple

On peut dresser une liste des connaissances que nous avons déjà sur le sujet et échanger sur nos intentions de lecture.

- Après la lecture : revenir sur sa lecture.

Exemple

On peut faire un résumé et discuter des stratégies de lecture utilisées.

- Faire un exposé oral.

Exemple

On peut effectuer ensemble les tâches liées à la planification et à l'organisation de l'exposé.

- Planifier la recherche de documents.

Exemple

On peut préciser ensemble de quelle documentation on aura besoin.

- Réfléchir sur les stratégies utilisées pour résoudre un problème.

Exemple

On peut réfléchir ensemble à différents plans de résolution de problèmes.

Pourquoi?

Prendre le temps de bien planifier la réalisation de notre travail ou de notre projet nous donnera confiance.

Notre cerveau a besoin de temps pour activer les réseaux de neurones nécessaires à la réalisation d'une tâche. Quand nous planifions une tâche ou un projet à réaliser, nous réveillons, pour ainsi dire, les connaissances dont nous avons besoin pour réaliser cette tâche ou ce projet.

SOMMAIRE

COMMENT COOPÉRER

Pour assurer la coopération de tous les membres d'un groupe, il est important de réfléchir aux points suivants :

1. **Le fonctionnement du groupe**
   - Y a-t-il des comportements qui dérangent un ou plusieurs membres du groupe?
   - Comment améliorer le fonctionnement du groupe et les échanges entre ses membres?
   - Que faire pour que chaque membre sente que le reste du groupe l'accepte?
2. **Les rôles et les responsabilités de chaque membre**
   - Chacun et chacune doit faire sa part de travail.
   - Chacun et chacune doit viser des résultats qui profitent aux autres.
3. **Le partage de la direction du groupe**
   - Les membres assument à tour de rôle la direction du groupe et acceptent, à un certain moment, de céder la place à quelqu'un d'autre.
4. **La communication respectueuse**
   - Des échanges verbaux amicaux et des attitudes respectueuses établissent des relations de confiance dans le groupe. Chacun et chacune se sent à l'aise pour donner son point de vue.
5. **Participer aux discussions collectives du groupe**
   - Nous savons que le travail coopératif en classe est une condition essentielle à la construction de nos connaissances.

ATTENTION !

Voici quelques trucs qui favorisent une meilleure participation aux échanges verbaux en classe ou ailleurs :

1. Dites ce que vous avez à dire en regardant la personne à qui vous vous adressez.
2. Donnez l'information demandée et ajoutez des exemples ou des explications.
3. Essayez de comprendre les commentaires et les questions des autres. Au besoin, demandez des précisions.
4. Respectez le rôle de l'animateur ou de l'animatrice.
5. Faites des propositions qui pourraient faciliter le déroulement de la discussion.
6. Exprimez votre point de vue, mais respectez aussi celui des autres.

QUELQUES RÈGLES POUR FAVORISER LA COOPÉRATION

- Désigner une personne qui veille à ce que l'on ne parle pas trop fort.
- Désigner une personne qui donne le droit de parole.
- Appeler chaque personne par son prénom et la regarder quand elle parle.
- Ne pas hésiter à demander ou à donner des clarifications sur ce qui a été fait ou dit.
- Reformuler dans ses mots ce qu'une autre personne vient de dire pour vérifier que l'on a bien compris.
- Critiquer les idées, mais pas les personnes qui les émettent.
- Ne pas exercer de pressions amicales ou personnelles sur les autres dans l'intention de les convaincre de notre point de vue.
- S'encourager mutuellement.
- Éviter de se déplacer d'un groupe de travail à l'autre.
- Discuter des avantages de la coopération.
- Reconnaître les difficultés de la coopération et trouver des moyens de les résoudre.

4 COMMENT ORGANISER SES CONNAISSANCES

SOMMAIRE

Les heures passées à l'école permettent d'acquérir de nombreuses connaissances. Toutefois, pour être capable de réutiliser ces connaissances, il faut les emmagasiner dans notre mémoire et ainsi créer plus de connexions entre les neurones.

Ce n'est pas la quantité de nos connaissances qui importe, mais plutôt la façon dont elles sont organisées dans notre tête. Si elles sont bien structurées et bien reliées les unes aux autres, il est plus facile de les réutiliser quand nous en avons besoin.

Voici quelques outils qui vous aideront à organiser vos connaissances.

LE SCHÉMA

Des connaissances bien organisées sont plus faciles à réutiliser. Pensez aux tiroirs de votre commode ou de votre bureau. Quand tout est rangé et organisé, vous trouvez rapidement ce que vous cherchez. De la même manière, le schéma est l'un des meilleurs outils dont on puisse se servir pour organiser nos connaissances.

DEUX PRINCIPAUX TYPES DE SCHÉMAS

- Le schéma énumératif

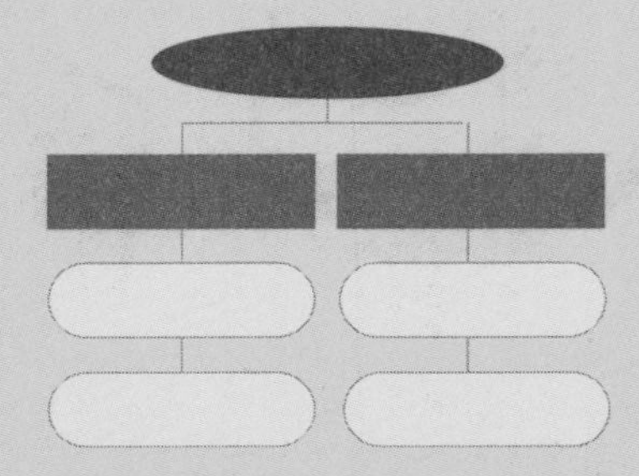

- Le schéma explicatif (causes/conséquences)

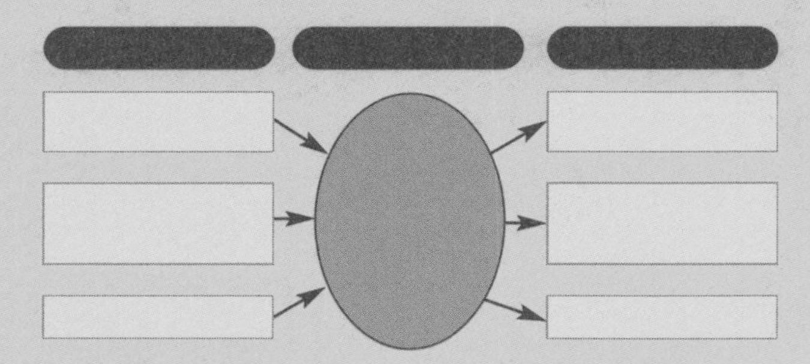

1. Le schéma énumératif

Voici les étapes à suivre pour construire un schéma énumératif.

- J'écris sur une feuille un certain nombre de mots clés ou d'éléments.

Exemple

cylindre cube
pyramide sphère
cône prisme

- Je regroupe les idées ou les éléments qui vont ensemble.

cylindre	pyramide
sphère	cube
cône	prisme

- Je nomme chaque groupe d'idées ou d'éléments.

Solides qui roulent	**Solides qui ne roulent pas**
(corps ronds)	(polyèdres)

- J'écris le mot principal dans un ovale.

SOLIDES

- J'écris le nom des groupes dans des rectangles.

- J'inscris, sous chaque groupe, les éléments de chaque catégorie dans un rectangle aux coins arrondis.

SOMMAIRE

Voici deux exemples de schémas énumératifs.

Exemple 1 : Les activités agricoles au Canada
Le schéma ci-dessous présente des types de fermes et de cultures.

Exemple 2 : Les mammifères

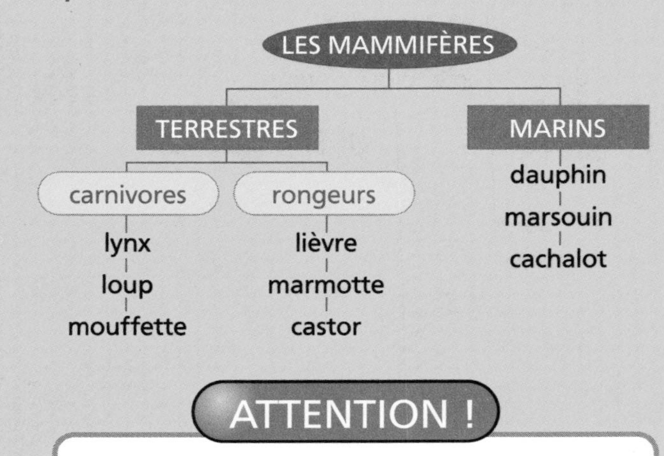

ATTENTION !

Vous pouvez construire vos schémas à votre façon. L'important, c'est de bien organiser les éléments qui les constituent.

2. Le schéma explicatif

Voici deux exemples de schémas explicatifs (causes/conséquences).

Exemple 1 : Un événement historique

On utilise ce genre de schéma en histoire. On y présente un événement ou un fait historique, on en explique les causes et les motifs et on en résume les conséquences.

Portez une attention particulière au schéma, puis lisez la méthode utilisée pour le réaliser.

CAUSES ET MOTIFS	ÉVÉNEMENT HISTORIQUE	CONSÉQUENCES
Le roi de France voulait agrandir son territoire.	Le premier voyage de Jacques Cartier.	Jacques Cartier a exploré le golfe du Saint-Laurent.
Le roi de France avait besoin d'or pour acheter des armes et payer ses soldats.		Il a pris possession du territoire au nom du roi de France.
Les marchands cherchaient de nouvelles routes vers les Indes pour se procurer des épices.		Il n'a pas trouvé d'or.
Les navigateurs connaissaient de nouvelles techniques de navigation très efficaces.		Il a établi des contacts avec des hommes et des femmes des Premières Nations.

Voici les étapes que l'on a suivies pour construire ce schéma explicatif :

- J'ai inscrit l'événement ou le fait historique au centre d'un ovale.
- J'ai regroupé à gauche les causes et les motifs.
- J'ai tracé des flèches entre les causes et les motifs et l'événement.
- J'ai regroupé à droite les conséquences.
- J'ai tracé des flèches entre l'événement et les conséquences.

SOMMAIRE

Exemple 2 : Les relations entre le climat et la végétation

Ce schéma nous informe sur :

- le climat maritime de l'Ouest ;
- la forêt du Pacifique ;
- le lien entre les caractéristiques du climat et le type de végétation (la relation de cause à effet est indiquée par la flèche).

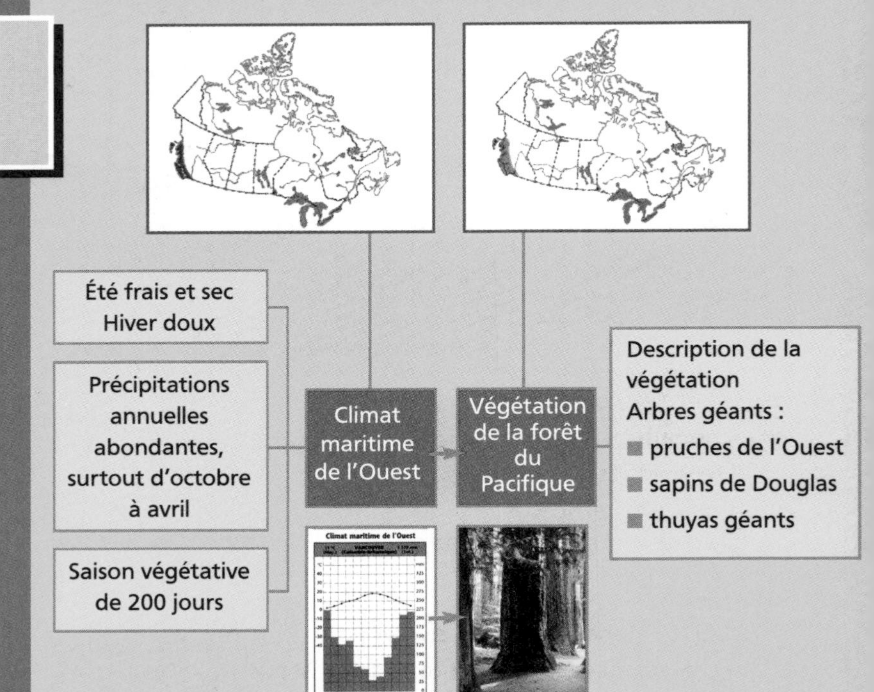

En conclusion, réaliser des schémas est une habileté qui exige du temps et de la pratique. Elle repose sur un travail de réflexion, d'association et de mise en relation.

La réalisation d'un schéma nous aide à apprendre parce qu'elle nous demande de faire des liens entre des connaissances nouvelles et des connaissances que nous possédons déjà.

LE TABLEAU SYNTHÈSE

Le tableau synthèse sert également à organiser nos connaissances. Il nous permet de les structurer pour mieux les retenir. Tout comme le schéma, il facilite le rappel des idées ou des connaissances emmagasinées dans notre mémoire.

Pour construire un tableau synthèse :

- Je donne un titre au tableau.
- Je détermine les catégories ou les critères que je retiendrai.
- Je décide du nombre de colonnes et de rangées en fonction du nombre de catégories ou de critères retenus.
- Je donne un titre à chaque colonne et à chaque rangée.
- Je remplis les cases du tableau avec les éléments d'information appropriés.
- Au besoin, je modifie le titre du tableau synthèse en le précisant davantage en fonction des éléments d'information retenus.

Voici un exemple de tableau synthèse qui porte sur le régime alimentaire des oiseaux.

LE RÉGIME ALIMENTAIRE DES OISEAUX

FAMILLE	ESPÈCE	ALIMENTS	BEC
Granivores	moineau	graines	massif et court
Insectivores	paruline	insectes	allongé et fin
Carnivores	aigle	chair	crochu et robuste
Omnivores	corneille	végétaux et chair	effilé et puissant

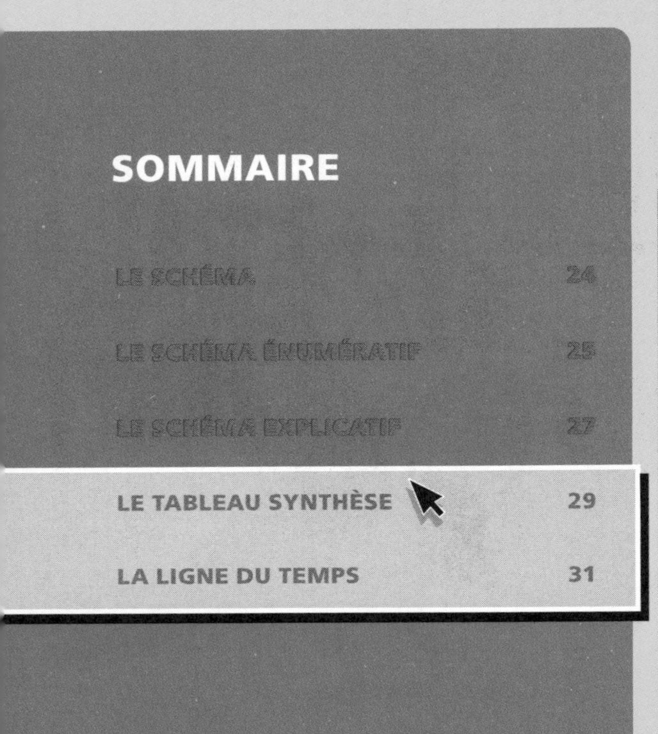

SOMMAIRE

Voici un autre tableau synthèse, cette fois sur la venue au Canada de trois groupes d'immigration.

TROIS GROUPES D'IMMIGRATION AU CANADA

	L'IMMIGRATION LOYALISTE	L'IMMIGRATION IRLANDAISE	L'IMMIGRATION VIETNAMIENNE
Pays d'origine	États-Unis	Irlande	Viêtnam
Période d'émigration	De 1783 à 1791	De 1825 à 1855	De 1960 à 1985
Motifs d'émigration	Fidélité à l'Angleterre	Famine, mortalité, chômage, extrême pauvreté	Guerre, souffrances, oppression
Conditions du voyage	Très difficiles (en charrette)	Très périlleuses (en bateau)	Variables, dangereuses pour les réfugiés de la mer
Lieux d'établissement	Provinces de l'Atlantique, Québec, Ontario	Québec, Ontario	Québec, Ontario
Langue	Anglais	Anglais	Vietnamien, français
Religion	Protestantisme	Catholicisme	Bouddhisme

1301 1401 1501

Découverte de l'Amérique par Christophe Colomb

LA LIGNE DU TEMPS

La ligne du temps est un autre outil qui facilite l'organisation des connaissances. Elle permet d'ordonner des événements les uns par rapport aux autres. Pour tracer une ligne du temps, il faut réfléchir aux relations qui existent entre les événements, c'est-à-dire que l'on doit se demander quel événement vient avant ou après tel autre, et pourquoi.

Pour bien interpréter une ligne du temps :

- J'évalue le temps total représenté en repérant, sur la ligne, le début et la fin de la période.
- J'observe les divisions de la ligne pour connaître l'unité de temps exprimée.
- Je relie chaque événement mentionné à l'année à laquelle il est associé.
- Je tente de faire des liens entre les événements représentés (causes/conséquences ; ressemblances/différences).

Pour faire une ligne du temps :

- Je choisis les événements à inscrire sur la ligne du temps.

Exemples

La venue de Christophe Colomb en Amérique ;
le premier voyage de Jacques Cartier en Amérique ;
la fondation de Québec.

- Je trouve sur quelle période s'étendent ces événements.

Exemple

Quatre cents (400) ans (XVe, XVIe, XVIIe et XVIIIe siècles).

- Je trace une longue ligne qui se termine à droite par une flèche.
- Je choisis une unité de mesure.

Exemple

Un siècle (100 ans) = 3,5 cm

- Je divise la ligne en sections égales, j'écris les années au-dessus des divisions.

Exemple

Si la période s'étend sur 400 ans, chaque section peut représenter 50 ans, ce qui donne 8 sections égales sur la ligne du temps.

- J'inscris les événements sous les dates appropriées et je les relie par un trait vertical.

Pourquoi?

L'organisation de nos connaissances sous forme de schémas nous permet d'établir des liens. Il est plus facile de se rappeler des idées organisées et reliées entre elles que des connaissances décousues, apprises par cœur. Rappelons-nous : apprendre, c'est permettre à nos neurones d'établir le plus de connexions possible entre eux.

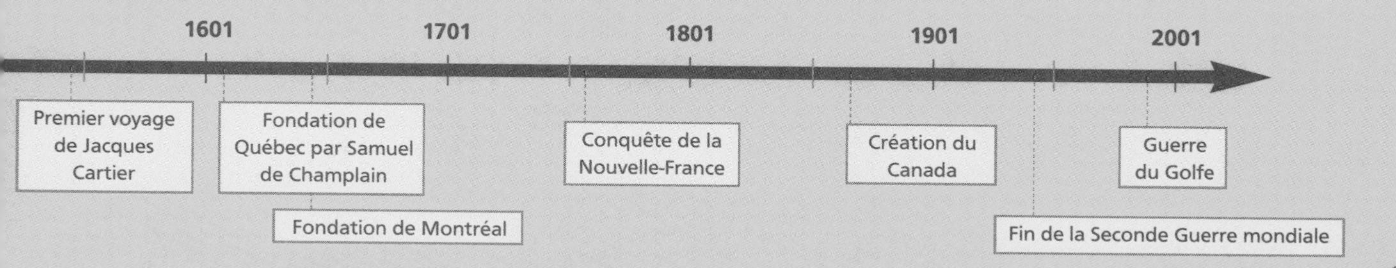

5 COMMENT MÉMORISER

SOMMAIRE

Construire ses connaissances, c'est aussi les mémoriser. Pour de nombreuses personnes, mémoriser quelque chose consiste à l'apprendre par cœur en répétant et… en répétant. Il existe toutefois d'autres moyens plus efficaces.

Voici quelques stratégies efficaces qui vous aideront à mémoriser puisqu'elles permettent de nombreuses connexions entre les neurones de votre cerveau.

LE MOT CROCHET

La stratégie du mot crochet permet de mémoriser des notions dont nous n'arrivons pas à nous souvenir. Cela consiste à associer un mot difficile ou nouveau à un mot que nous connaissons très bien et qui devient le mot crochet.

Pour mémoriser un mot à l'aide de la stratégie du mot crochet :

- Je choisis d'abord le mot que je veux retenir et j'évalue sa difficulté.

Exemple

Je fais toujours l'erreur de mettre un « e » au mot « hôpital ».

- Je trouve un mot que je connais bien, qui devient le mot crochet.

Exemple

Je sais très bien que le mot « métal » ne prend pas de « e ».

- J'accroche le mot à mémoriser au mot crochet.
- J'associe les deux mots par une image mentale et une phrase.

Exemple

J'accroche le mot « hôpital » au mot « métal » en créant une phrase comme celle-ci : « La porte de l'hôpital est en métal. »

- Je répète la phrase inventée plusieurs fois.

Pourquoi ?

Le mot connu est déjà relié à un réseau de neurones. Les nouveaux mots se joindront à ce groupe de neurones ; il nous sera plus facile de les ramener dans notre mémoire de travail quand nous en aurons besoin.

Voici quelques exemples d'applications de la stratégie du mot crochet.

Exemple 1

J'ai de la difficulté à me rappeler que le mot « marais » se termine par « ais ».
J'associe le mot « marais » au mot « palais » dont je connais l'orthographe, puis j'invente une phrase comme celle ci : « Le marais est près du palais. »

Exemple 2

Si, dans une fraction, je confonds « numérateur » et « dénominateur », j'associe en pensée le mot « numérateur » au mot « nuage ». Les deux mots commencent par « nu » et les deux sont « en haut » : le numérateur est en haut de la ligne (3/4) et le nuage est dans le ciel.

Exemple 3

Pour me rappeler que « puits », « brebis », « corps » et « taillis » prennent un « s » final même au singulier, j'associe ces mots au mot « souris », que je connais bien.
J'invente ensuite une phrase comme celle-ci : « La souris et la brebis sont sorties du taillis et ont vu un corps au-dessus du puits. »

SOMMAIRE

L'ACRONYME

Il est parfois difficile de retenir l'ordre des actions dans une opération ou une suite d'événements, ou de se rappeler une liste de mots ou de notions.
L'acronyme consiste à créer un mot dont chaque lettre est liée à une notion à retenir.

Pour mémoriser des mots à l'aide de la stratégie de l'acronyme :

- Je fais d'abord la liste des mots ou des notions à retenir.
- J'invente un mot avec les premières lettres de ces mots ou de ces notions en déplaçant au besoin certains mots.
- Je répète plusieurs fois le mot ainsi formé tout en nommant les mots ou les notions que le mot inventé m'aide à retenir.

Voici quelques exemples d'acronymes :

Exemple 1

Pour retenir les fonctions du nom, je forme l'acronyme SAC : Sujet, Attribut, Complément.

Exemple 2

Pour retenir les quatre principales étapes du cycle de l'eau, je forme l'acronyme PRÉC : Précipitation, Ruissellement, Évaporation, Condensation.

Exemple 3

Pour retenir les étapes du survol d'un texte, je forme l'acronyme TIPIC : Titre (et intertitres), Introduction, Première (phrase de chaque paragraphe), Illustrations, Conclusion.

L'IMAGE MENTALE

La stratégie de l'image mentale est une stratégie efficace : elle permet de faire des liens entre les éléments d'information en les organisant autour de quelques idées principales.

Pour mémoriser des idées à l'aide de la stratégie de l'image mentale :

- J'écris d'abord les idées clés.
- Je regroupe les idées qui vont ensemble.
- J'illustre ces idées par un dessin.
- Je ferme ensuite les yeux et je visualise le dessin.

Voici deux exemples d'applications de la stratégie de l'image mentale.

Exemple 1

Je veux regrouper des renseignements sur les Iroquois. J'imagine des maisons-longues, des champs de maïs et de haricots, des masques, des paniers d'osier, des pots en terre cuite, de la farine, des gens qui ont un mode de vie sédentaire. Puis j'invente une petite histoire.

Exemple 2

Je veux regrouper des renseignements sur les Algonquins. Après avoir regroupé les idées, j'imagine un tipi, un chef, des hommes qui vont à la chasse, à la pêche, des femmes qui font la cueillette de fruits sauvages, des nomades, un canot d'écorce, des plats en écorce. Puis j'invente une petite histoire.

5 COMMENT MÉMORISER [suite]

SOMMAIRE

LA PHRASE CLÉ OU L'HISTOIRE CLÉ

La stratégie de la phrase clé ou de l'histoire clé consiste à inventer une phrase ou une histoire pour retenir des mots ou des idées.

Pour mémoriser des mots ou des idées à l'aide de la stratégie de la phrase clé ou de l'histoire clé :

- Je précise d'abord les mots à retenir et je les note sur une feuille.
- J'invente une phrase ou une histoire à l'aide des mots à retenir : c'est ma phrase clé ou mon histoire clé.
- Je me fais une image mentale de ma phrase ou de mon histoire.
- Je me répète plusieurs fois cette phrase ou cette histoire : d'abord une minute après l'avoir inventée, puis dix minutes plus tard, puis une heure après, puis encore le lendemain et, enfin, au bout d'une semaine.

ATTENTION !

La phrase ou l'histoire inventée doit être la plus courte possible.

En voici trois exemples :

Exemple 1

Je veux mémoriser la liste des mots en « ou » qui se terminent par « x » au pluriel : « bijou », « caillou », « chou », « genou », « joujou », « hibou », « pou ».

Je crée une histoire comme celle-ci : « Venez mes choux sur mes genoux avec vos joujoux et vos bijoux. Ne lancez pas de cailloux aux hiboux pleins de poux. »

Exemple 2

Je veux mémoriser les noms des différentes planètes. J'invente une phrase dont la première lettre de chaque mot correspond à la première lettre du nom d'une planète.

MON	VIEUX,	TU	ME	JETTES	SUR	UNE	NOUVELLE	PLANÈTE.
E	É	E	A	U	A	R	E	L
R	N	R	R	P	T	A	P	U
C	U	R	S	I	U	N	T	T
U	S	E		T	R	U	U	O
R				E	N	S	N	N
E				R	E		E	

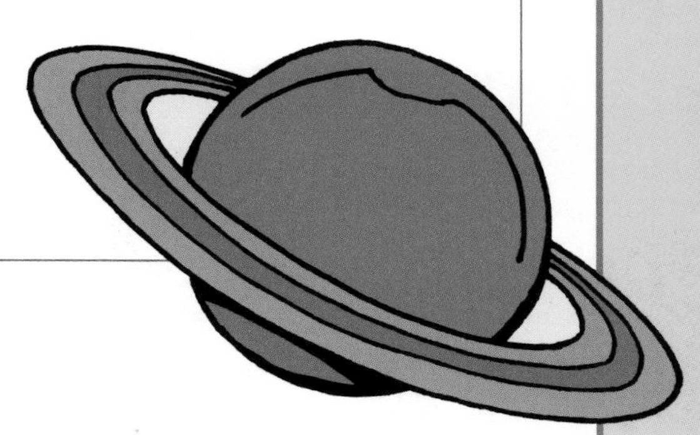

Exemple 3

Je veux mémoriser les activités économiques de la région : élevage, tourisme, production de pâtes et papiers, culture des fruits et des légumes.

Je crée une phrase comme celle-ci : « Les touristes photographient des bœufs d'élevage devant l'usine de pâtes et papiers et ils leur offrent des fruits et des légumes. »

UNE STRATÉGIE EFFICACE POUR ÉPELER UN MOT

Pour apprendre à épeler un mot nouveau, que ce soit en français ou dans une autre langue :

- J'observe le mot et je le dis dans ma tête.
- Je ferme les yeux et je visualise les lettres qui forment le mot.
- Je cache le mot et je le réécris.
- Je vérifie si je l'ai écrit correctement.
- Je répète les deux dernières étapes au moins deux fois.

6 COMMENT PRÉPARER SES EXAMENS

SOMMAIRE

Préparer un examen est une tâche importante car, en faisant l'examen, nous démontrons ce que nous avons appris. Comme c'est un travail de longue haleine, il ne faut pas attendre la veille de l'examen pour s'y mettre !

L'examen est habituellement annoncé longtemps à l'avance. Aussi est-il important d'en inscrire tout de suite la date et l'heure dans son agenda.

Voici quelques pensées positives et négatives reliées à la préparation d'un examen. Gardons à l'esprit que des pensées comme celles-ci peuvent influencer notre motivation et notre réussite.

Pensées positives

JE ME SENS BIEN PRÉPARÉ, BIEN PRÉPARÉE. → J'AI CONFIANCE EN MOI.

JE NE RESSENS PAS TROP DE STRESS. → JE PEUX ME CONCENTRER ET UTILISER MES CONNAISSANCES.

JE VAIS RÉUSSIR L'EXAMEN.

Pensées négatives

JE ME SENS MAL PRÉPARÉ, MAL PRÉPARÉE. → J'AI PEUR D'ÉCHOUER.

JE RESSENS BEAUCOUP DE STRESS. → JE NE PEUX PAS ME CONCENTRER NI UTILISER MES CONNAISSANCES.

JE VAIS ÉCHOUER À L'EXAMEN.

ATTENTION !

Il est important d'apprendre à contrôler notre stress et à éliminer les pensées négatives.

QUELQUES STRATÉGIES POUR PRÉPARER UN EXAMEN

Pour préparer efficacement un examen :

- Je trouve le meilleur moment pour m'y préparer.
- J'analyse la matière qui sera évaluée.
- Je détermine quels éléments semblent les plus importants.
- Je classe ces éléments en deux catégories :
  - ceux que je connais et que je comprends ;
  - ceux que je connais moins bien et que je comprends mal.
- Pour les éléments de la seconde catégorie, je me pose les questions suivantes :
  - Qu'est-ce que j'ignore ou que je ne comprends pas?
  - Que dois-je faire pour le savoir ou le comprendre?
- J'organise mes connaissances dans des schémas ou des tableaux synthèses et j'utilise des stratégies pour mémoriser la matière.

? POURQUOI?

En occupant trop d'espace dans nore mémoire de travail, le stress nous empêche d'aller chercher toutes les connaissances nécessaires emmagasinées dans notre mémoire à long terme.

QUELQUES CONSEILS POUR RÉUSSIR UN EXAMEN

ATTENTION !

1. Inutile de tout relire en quelques minutes avant l'examen : cela ne fait qu'augmenter le stress.
2. Dès que vous recevez votre copie, prévoyez le temps que vous consacrerez à chaque partie de l'examen.
3. Répondez d'abord aux questions dont vous connaissez les réponses, puis revenez aux autres.
4. Quand vous lisez une question, encerclez ce que l'on vous demande de faire; écrivez au besoin les éléments importants.
5. Utilisez les stratégies de lecture, d'écriture ou de résolution de problèmes que vous connaissez.
6. Si vous sentez le stress vous envahir, prenez de grandes respirations et dites-vous : « Calme-toi, ça va bien aller. » ou « Tu as fait une bonne préparation, aie confiance. »
7. Gardez-vous du temps pour réviser vos réponses, particulièrement celles dont vous doutez.

7 COMMENT UTILISER UN AGENDA

SOMMAIRE

L'agenda : un outil utile pour organiser son temps

Tout le monde doit apprendre à organiser son temps et à utiliser un agenda.

Pour utiliser l'agenda de manière efficace :

- Je note le travail à faire.
  Dès que le travail ou le projet est annoncé ou décidé, je le note immédiatement dans la case correspondant à la date d'échéance, c'est-à-dire la date à laquelle le travail ou le projet doit être terminé.
- Je prévois une date pour chaque étape.
  Je sais que certains projets, comme écrire un texte ou faire une recherche, comportent de nombreuses étapes. Je prévois dans mon agenda une date pour chacune de ces étapes.
- J'examine mon agenda régulièrement.
  Au début de chaque journée, je consulte mon agenda pour voir ce que je dois faire.
- Je prévois et j'organise le travail que je dois faire à la maison.
  Quand je me prépare à travailler à la maison, je regarde mon agenda pour vérifier ce que j'ai à faire durant les trois ou quatre prochains jours. J'ai ainsi une bonne idée du travail qui m'attend. Je commence par ce qui presse le plus.
- J'équilibre les heures de travail.

Pour les travaux ou l'étude en soirée, je me fixe une plage de temps qui sera la même tous les soirs. Cela m'aide à consacrer le temps nécessaire à ce que je dois faire.

ATTENTION !

L'agenda sert quotidiennement à organiser votre temps de travail et d'étude. N'oubliez pas que l'on peut aussi l'utiliser comme aide-mémoire, pour noter des rendez-vous importants, des projets, des sorties, des anniversaires, des numéros de téléphone, des adresses postales ou électroniques, etc.

8 COMMENT LIRE EFFICACEMENT

SOMMAIRE

Un bon lecteur ou une bonne lectrice ne lit pas tous les textes de la même façon. Il lui faut en effet adapter sa manière de lire au type de texte et au but poursuivi.

Le lecteur ou la lectrice efficace utilise certaines stratégies avant, pendant et après la lecture. Une stratégie de lecture est un moyen que l'on utilise pour mieux comprendre le sens d'un texte.

Les stratégies de lecture qui suivent feront de vous des lecteurs et des lectrices efficaces.

Avant la lecture

PLANIFIER SA LECTURE

Je précise mon intention de lecture.

Avant de commencer à lire, je dois prendre quelques minutes pour planifier ma lecture en réfléchissant aux stratégies que je vais utiliser.

Pour préciser mon intention de lecture, je me demande si je lis ce texte :

- pour répondre à une question ;
- pour m'informer ;
- pour me distraire ;
- pour savoir ce qui est arrivé à quelqu'un que je connais ;
- pour savoir comment faire quelque chose ou quoi faire.

POURQUOI?

Préciser notre intention de lecture nous aide à nous concentrer sur ce qui nous intéresse et à éliminer les éléments d'information inutiles.

L'intention de lecture permet au cerveau d'« allumer », de mettre en action les circuits ou les réseaux de neurones pertinents tout en neutralisant ceux qui sont inutiles. Le cerveau est beaucoup plus efficace au cours de la lecture quand les neurones nécessaires à la compréhension sont déjà « allumés ».

Je fais un survol du texte.

En le parcourant rapidement, j'essaie de voir comment le texte est organisé et sur quoi il porte.

Pour faire une lecture en survol :

Texte informatif

- Je lis le titre et les intertitres.
- Je lis l'introduction.
- Je regarde les photos, les illustrations, les tableaux et les graphiques.
- Je lis la conclusion.

Texte narratif court

- Je lis le titre.
- Je repère le nom des personnages et les noms de lieux.
- Je regarde les illustrations.

Texte narratif long (roman)

- Je regarde la quatrième page de couverture.
- Je lis la première page.

POURQUOI?

Nous faisons le survol d'un texte pour savoir s'il correspond à ce que nous cherchons ou si l'histoire va nous intéresser. Les indices que nous repérons alors vont aussi nous permettre de nous faire une idée de ce que le texte contient.

8 COMMENT LIRE EFFICACEMENT [suite]

SOMMAIRE

Je me rappelle ce que je sais déjà.

En me rappelant ce que je connais déjà sur le sujet, je sais à quoi m'attendre, et ma lecture est plus efficace.

Pour me remémorer mes connaissances, je me demande ce que je sais :

- sur le sujet du texte ;
- sur le genre du texte ;
- sur l'auteur ou l'auteure.

POURQUOI?

En utilisant nos connaissances sur le genre du texte, nous pouvons prévoir l'organisation du contenu et adapter notre lecture en conséquence.

Nous rappeler ce que nous savons déjà sur l'auteur ou l'auteure nous permet d'avoir une bonne idée du contenu du texte.

Nos connaissances étant emmagasinées dans des réseaux de neurones, il est plus facile pour notre cerveau « d'allumer » les bons réseaux si nous nous sommes rappelé ce que nous savions sur le sujet.

Je fais des prédictions.

Pour prévoir le contenu du texte :

- J'utilise tout ce que je sais sur le sujet.
- J'utilise ce que je sais sur le genre du texte.
  Dans le cas d'un récit d'aventures, après avoir lu la situation initiale, j'essaie d'imaginer ce qui va se passer, ce qui va arriver au héros ou à l'héroïne. J'essaie même d'imaginer le dénouement.

  Dans le cas d'un texte informatif, j'essaie de prévoir où je trouverai l'information que je cherche et ce que je vais apprendre de nouveau en lisant ce texte.
- J'utilise ce que je sais sur l'auteur ou l'auteure.
  Si j'ai déjà lu d'autres textes de cet auteur ou de cette auteure, je peux imaginer comment il ou elle va s'y prendre pour raconter son histoire ou pour m'informer.

POURQUOI?

À partir de nos prédictions, nous lisons pour vérifier si ce que nous avons prédit est juste : la lecture est ainsi beaucoup plus rapide.

ATTENTION !

Voici un truc efficace pour vous aider à faire des prédictions.
Dressez un tableau comme celui-ci sur une feuille.

LE TITRE DU TEXTE ______	
Ce que je sais	Ce que je veux savoir
(Tu écris ici tout ce que tu sais sur le sujet.)	(Tu écris ici ce que tu veux apprendre sur le sujet.)

8 COMMENT LIRE EFFICACEMENT [suite]

SOMMAIRE

CONSTRUIRE LE SENS DU TEXTE

À cette étape, il faut être actif ou active et toujours chercher à comprendre ce que l'auteur ou l'auteure veut nous communiquer.

Pendant la lecture

J'établis des liens avec ce que je sais déjà.

Exemples :

Voici un exemple de liens que je peux établir pendant la lecture.

En lisant le récit d'un de mes auteurs favoris, je peux utiliser mes expériences passées pour envisager des solutions ou des dénouements possibles. De même, si je lis un roman qui raconte les péripéties de mon héroïne favorite, je peux relier l'aventure qu'elle est en train de vivre dans le roman à d'autres aventures qu'elle a déjà vécues dans d'autres romans.

POURQUOI?

Établir des liens entre le contenu d'un texte et ce que nous savons nous aide à mieux comprendre un texte et à en retenir l'information. De plus, parce que nous savons déjà des choses, parce que nous avons déjà vécu certaines expériences, nous pouvons dire si nous sommes d'accord ou non avec l'auteur ou avec l'auteure.

Je crée des images dans ma tête.

Pour que le texte suscite des images dans ma tête :

- Je lis une partie du texte, un paragraphe par exemple.
- Je fais une pause et j'essaie de visualiser ce que je viens de lire.

POURQUOI?

Se faire des images en pensée demande de la pratique et du temps, mais cela est très utile pour établir des liens avec ce que nous savons, pour mieux comprendre et mieux retenir un texte.

Je vérifie si je comprends.

Pendant la lecture, il est nécessaire que je puisse évaluer si je comprends bien le texte. Sinon, je perds le fil de mes idées, je perds le sens de ce qui est écrit.

POURQUOI?

Il faut vérifier notre compréhension parce que c'est à nous que l'auteur ou l'auteure communique son message. Nous donnons une signification au texte à partir de ce que nous savons.

ATTENTION !

Voici quelques trucs pour vérifier votre compréhension :

1. Demandez-vous ce que l'auteur ou l'auteure veut dire. Faites attention à l'ordre des mots : il a parfois de l'importance.
2. Tentez de découvrir les idées principales : il y en a généralement une par paragraphe.
3. Faites-vous une opinion sur le texte à partir de ce que vous connaissez.

8 COMMENT LIRE EFFICACEMENT [suite]

SOMMAIRE

J'utilise des stratégies de dépannage.

Si je ne comprends pas un mot ou un passage, et que cela ne m'empêche pas de poursuivre ma lecture, je continue. S'il m'est difficile de continuer, je peux recourir à des stratégies de dépannage.

Pour m'aider à trouver la signification d'un mot :

- J'essaie de trouver, autour du mot, des indices qui m'apprendront ce que ce mot signifie.
- J'essaie de trouver, dans le mot, un élément que je connais (comme « cheval » dans « chevalerie »).
- Je cherche le mot dans le dictionnaire ou je demande à quelqu'un ce qu'il signifie.

Pour m'aider à comprendre ce que l'auteur ou l'auteure veut dire :

- Je continue ma lecture et j'essaie de comprendre en me servant de ce que je sais déjà.
- Je reviens en arrière pour trouver des indices qui peuvent m'aider à comprendre.
- Je vérifie quels mots les pronoms remplacent.

POURQUOI?

Il est important d'utiliser des stratégies de dépannage : un mot ou un passage mal compris peut quelquefois changer le sens du texte.

Après la lecture

ÉVALUER SA LECTURE

Après notre lecture, il faut prendre le temps de réfléchir à la façon dont nous avons lu.
Nous pouvons aussi discuter avec d'autres personnes pour connaître leurs stratégies de lecture ou leurs manières de lire.

- **Je réagis au texte si c'est un texte littéraire.**
  Après la lecture d'un texte littéraire, je dois me poser les questions suivantes :
  - Est-ce que j'ai aimé ce récit ou ce poème?
  - Quels sentiments les personnages et les événements du récit ont-ils suscités en moi?
  - Quelles émotions ce poème ou cette chanson ont-ils fait naître en moi?
  - Suis-je satisfait, satisfaite de ma lecture?

- **J'utilise l'information du texte si c'est un texte courant.**
  Après la lecture d'un texte courant, je dois me poser les questions suivantes :
  - Ai-je trouvé des réponses à mes questions?
  - Qu'est-ce que je dois retenir de cette lecture?
  - Qu'ai-je appris?

- **Je réfléchis à ma façon de lire.**
  Après la lecture d'un texte courant ou littéraire, je dois me poser les questions suivantes :
  - Est-ce que j'ai modifié ma manière de lire en fonction de mon intention?
  - Est-ce que j'ai adapté ma manière de lire au type de texte que j'ai lu?
  - Est-ce que j'ai su résoudre mes problèmes quand j'en ai éprouvé?

ATTENTION !

Nous avons le droit d'aimer ou de ne pas aimer un livre. Si vous n'aimez pas un livre, vous pouvez arrêter de le lire... et en choisir un autre.

9 COMMENT RÉSUMER UN TEXTE

SOMMAIRE

Faire un résumé oral ou écrit, voilà une stratégie efficace pour comprendre un texte et assimiler l'information qu'il contient. Le résumé nous aide à apprendre parce qu'il nous oblige à réfléchir et à retenir ce qui est important dans un texte.

RÉSUMER UN TEXTE INFORMATIF

Pour résumer un texte informatif :

- Je trouve l'idée principale de chaque paragraphe en me demandant de quoi ou de qui l'on parle.
- Je choisis la phrase qui contient cette idée principale.
- Je vérifie mon choix en me demandant si les autres phrases sont reliées à cette phrase : servent-elles à expliquer la même idée importante?
- Parmi les idées principales, je choisis celle qui me semble la plus importante.
  Selon la longueur du texte et le sujet traité, il peut y avoir plus d'une idée principale. L'idée la plus importante d'un texte est l'idée directrice, celle qui a motivé l'auteur ou l'auteure tout au cours de la rédaction.
- Je construis des phrases qui relient chaque idée principale aux idées qui la soutiennent (les idées secondaires).
- Je révise mon texte.
- Je rédige mon résumé et je l'accompagne de la référence au texte que j'ai lu.

ATTENTION !

Une idée principale est une phrase qui contient l'information essentielle. On peut la trouver au début, au milieu ou à la fin d'un paragraphe.

L'idée directrice peut être absente du texte. Vous la trouverez alors par vous-même : ce sont en effet vos connaissances qui vous aideront à comprendre le texte.

RÉSUMER UN RÉCIT D'AVENTURES

Je peux résumer un récit d'aventures en utilisant mes connaissances sur la structure de ce genre de récit.

Pour résumer un récit d'aventures :

- Je décris en une phrase la situation initiale : les personnages, les lieux, le contexte.
- Je fais de même pour l'élément déclencheur.
- Je fais de même pour le déroulement.
- Je raconte le dénouement en une phrase.
- Je m'assure que les phrases sont reliées et qu'elles correspondent à l'ordre dans lequel se déroule le récit.
- Je révise mon texte.

LES PARTIES DU RÉCIT

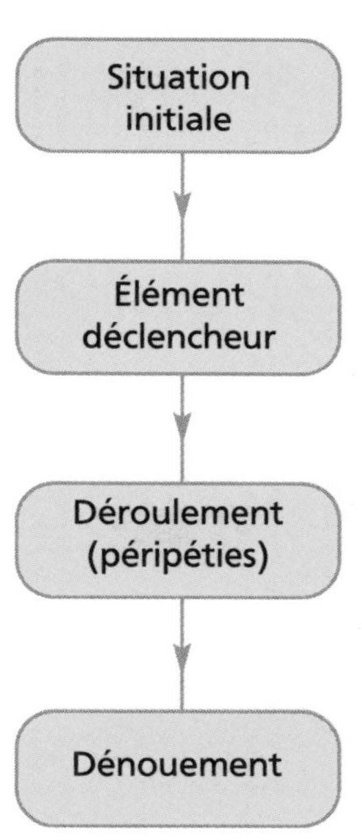

10 COMMENT PRODUIRE UN TEXTE

SOMMAIRE DES ÉTAPES

La production d'un texte comporte plusieurs opérations que l'on ne peut faire toutes en même temps. Pour être efficace, il faut savoir s'organiser : planifier son travail, rédiger un brouillon, le relire, le réécrire, puis le réviser et le mettre au propre.

Produire un texte est une tâche qui s'apprend : cela nécessite de la réflexion, des efforts, de bonnes stratégies et beaucoup de pratique.

Planifier la production d'un texte

Il faut prendre le temps de bien planifier la production de ses textes. C'est très important. Cette étape facilitera tout le travail qui va suivre. Un écrivain ou une écrivaine passe plus de la moitié de son temps à planifier ses textes !

Je détermine le but du texte.

Exemple

Je peux écrire un texte pour informer, expliquer, décrire, émouvoir, exprimer un point de vue, surprendre, tenir en haleine, émerveiller, etc.

Pour déterminer le but de mon texte :

- Je me demande pourquoi je veux écrire ce texte.
- En situation d'examen, je lis attentivement les consignes que je dois suivre avant d'écrire mon texte.

Je précise le sujet.

Pour bien préciser mon sujet :

- Je m'assure de bien le comprendre.
- Je me demande de quoi je vais parler, ce que j'ai envie de raconter.
- Je réfléchis au contenu de mon texte, à ce que je veux communiquer à mes lecteurs et à mes lectrices.

Je tiens compte des destinataires.

Pour m'aider à tenir compte des destinataires, je me pose les questions suivantes :

- Pour qui est-ce que je veux écrire?
- Qu'est-ce que mes lecteurs et mes lectrices savent déjà sur le sujet?
- Quel est l'âge de mes lecteurs et de mes lectrices?
- Comment pourrais-je les intéresser?

En situation d'examen, je lis attentivement les consignes qui peuvent me donner des indications sur les destinataires.

J'examine les conditions d'écriture.

Je tiens compte du temps prévu, de la longueur du texte à écrire et des ressources nécessaires.

Je cherche l'information dont j'ai besoin.

Pour rassembler l'information nécessaire :

- Au début, je réunis beaucoup d'idées sur le sujet.
- S'il s'agit d'un texte informatif, je décide des éléments d'information dont j'ai besoin et je me demande où je peux les trouver.
- S'il s'agit d'un texte narratif, je réfléchis à mes personnages et à ce qu'ils vont faire.

Je fais mon plan selon le genre de texte à écrire.

Pour dresser mon plan :

- L'organisation de mon plan dépend du genre de texte que j'ai à produire.
- J'utilise mes connaissances sur le genre de texte à écrire et mes expériences en tant que lecteur ou lectrice.

Exemples

Un récit d'aventures a quatre parties : une situation initiale, un élément déclencheur, un déroulement (des péripéties) et un dénouement.

Un texte informatif comporte, pour sa part, une introduction, qui présente le sujet, ainsi que des sections désignées chacune par un intertitre, et une conclusion.

10 COMMENT PRODUIRE UN TEXTE [suite]

SOMMAIRE DES ÉTAPES

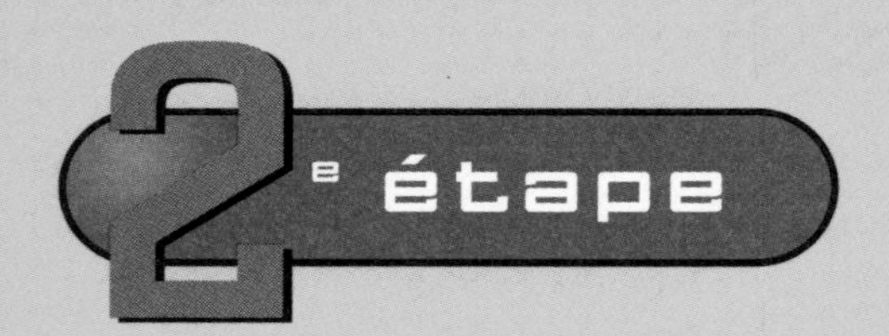

Rédiger le brouillon

Le brouillon est la première version d'un texte.

Pour rédiger le brouillon :

- Je suis mon plan, mais je n'hésite pas à le modifier si j'ai de nouvelles idées.
- J'utilise mes expériences en tant que lecteur ou lectrice pour organiser mon texte.
- J'applique tout de suite les règles d'orthographe et de grammaire que je connais.
- Je mets un point d'interrogation (?) au-dessus des mots qui posent problème (par exemple, si j'écris un mot pour la première fois, si le mot est difficile à écrire, si je ne sais pas comment l'accorder, etc.).
- Je ne perds pas de temps à essayer d'embellir mes phrases. Je le ferai à la troisième étape.
- Je cherche à exprimer clairement ce que je pense ou ce que je ressens : il est important que la personne qui lira le texte le comprenne.

Réviser le texte

La réécriture du brouillon exige de l'observation, de l'attention et de la réflexion, car c'est à cette étape que nous embellissons nos phrases. Il nous faut tenir compte de deux critères :

1. le choix et l'organisation des idées ;
2. la structure des phrases et le choix des mots.

Je vérifie le choix et l'organisation des idées.

Cette étape est très importante. Je m'assure que le texte respecte mon intention de départ (mon but). Je me mets à la place du lecteur ou de la lectrice et je lis mon texte en vérifiant qu'il produit les effets attendus. Je m'assure aussi que mon texte respecte la forme prévue (le genre de texte à écrire).

Pour m'assurer d'avoir bien choisi et organisé mes idées, je me pose les questions suivantes :

- Est-ce que j'ai atteint le but fixé au départ?
- Est-ce que les lecteurs et les lectrices comprendront ce que je veux exprimer?
- Est-ce que mon texte est bien structuré?
- Est-ce qu'il y a des liens entre les phrases?
- Est-ce qu'il y a des liens entre les paragraphes?
- Quelles idées dois-je ajouter?
- Quelles idées dois-je enlever?

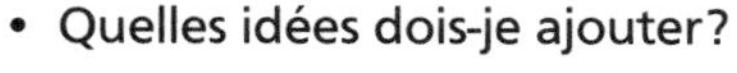

10 COMMENT PRODUIRE UN TEXTE [suite]

SOMMAIRE DES ÉTAPES

Je vérifie la structure des phrases et le choix des mots.

À cette étape, je dois vérifier si mes phrases sont bien construites et si j'ai utilisé les bons mots. Cette étape peut se faire en collaboration avec d'autres personnes.

Pour m'assurer d'avoir bien structuré mes phrases et bien choisi mes mots, je me pose les questions suivantes :

- Est-ce que j'ai tous les mots nécessaires pour former une phrase?
- Est-ce que les mots sont dans le bon ordre?
- Ai-je utilisé des mots de relation pour structurer mon texte?
- Ai-je utilisé des pronoms pour éviter des répétitions?
- Pour éliminer des répétitions, est-ce que je peux formuler autrement certains passages?
- Est-ce que mes phrases négatives ont tous les mots nécessaires, comme *ne... pas?*
- Est-ce que mes phrases interrogatives ont tous les mots nécessaires, comme *où, quand, comment, pourquoi?*
- Est-ce que les mots sont employés dans leur sens habituel?
- Est-ce que les mots appartiennent à la langue française? (Je vérifie dans mon dictionnaire.)

ATTENTION !

Nous pouvons améliorer la qualité de nos phrases en **ajoutant**, en **enlevant**, en **changeant** ou en **déplaçant** un mot ou un groupe de mots. Nous pouvons aussi améliorer notre texte en **fusionnant** deux phrases.

Afin de constater les améliorations, comparez les deux phrases de chaque exemple :

- **Ajouter** un mot ou un groupe de mots.

Exemple

C'était un vendredi.
- *C'était un vendredi* d'automne pluvieux et froid.

- **Enlever** un mot ou un groupe de mots.

Exemple

L'oiseau volait au-dessus de la maison avec ses ailes.
- *L'oiseau volait au-dessus de la maison*.

- **Changer** un mot ou un groupe de mots.

Exemple

Après qu'ils seront arrivés *en face de la maison*...
- Arrivés *en face de la maison*...

Exemple

Ils commencent à chercher qui a volé.
- *Ils* amorcent l'enquête.

- **Déplacer** un mot ou un groupe de mots.

Exemple

Les amis de Francesca, surpris, *constatent à leur tour sa disparition*.
- Surpris, *les amis de Francesca constatent à leur tour sa disparition*.

- **Fusionner** deux phrases.

Exemple

Francesca revenait de l'école. Elle était accompagnée de son cousin Daniel.
- Francesca revenait de l'école accompagnée de son cousin Daniel.

10 COMMENT PRODUIRE UN TEXTE [suite]

SOMMAIRE DES ÉTAPES

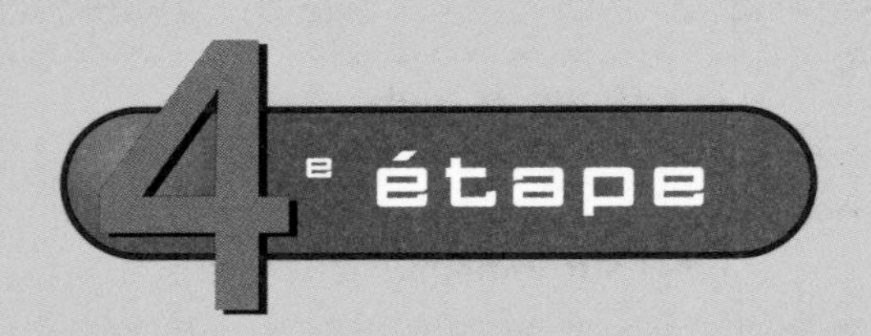

CORRIGER LE TEXTE

La révision d'un texte est une activité exigeante. Comme on ne peut pas tout corriger en même temps, il faut vérifier un élément à la fois :

- la ponctuation ;
- les règles de grammaire ;
- l'orthographe des mots.

Je vérifie la ponctuation.

La ponctuation joue un rôle important dans la phrase, car elle nous aide à mieux exprimer nos idées. Le lecteur ou la lectrice utilisera la ponctuation pour voir, par exemple, où commence une phrase et où elle finit.

Pour m'assurer de la bonne ponctuation de mon texte, je me pose les questions suivantes :

- Est-ce que les phrases commencent par une majuscule et se terminent par un point?
- Ai-je utilisé le point d'interrogation et le point d'exclamation quand il le fallait?
- Ai-je placé les virgules correctement (entre les mots énumérés, après un complément placé en début de phrase, etc.)?
- Ai-je utilisé correctement les signes du dialogue, comme le deux-points, les guillemets et le tiret qui marquent le changement d'interlocuteur ou d'interlocutrice?

Je vérifie si les règles de grammaire sont respectées.

Je me rappelle que, pour réviser mon texte, je dispose d'outils importants comme le dictionnaire, le code grammatical et les tableaux de conjugaison. Je commence par les mots au-dessus desquels j'ai mis un point d'interrogation (?) en rédigeant mon texte. Ensuite, je révise le texte au complet.

Voici quelques points à surveiller au moment de réviser un texte :

? **Les déterminants**
Sont-ils accordés en genre (masculin, féminin) et en nombre (singulier, pluriel) avec le nom auquel ils se rapportent ?

? **Les adjectifs**
Sont-ils accordés en genre (masculin, féminin) et en nombre (singulier, pluriel) avec le nom auquel ils se rapportent ?

? **Le féminin des noms et des adjectifs**
Ai-je bien formé le féminin des noms et des adjectifs ?
On forme le féminin en ajoutant un *e* au masculin ; en doublant la consonne finale et en ajoutant un *e* ; en changeant, par exemple, *–er* en ***–ère***, *–f* en ***–ve***, *–eux* en ***–euse*** et *–teur* en ***–trice***.

? **Le pluriel**
Ai-je bien indiqué le pluriel en ajoutant un *s* au singulier ?
Je prête attention aux mots qui prennent un *x*, qui sont invariables ou qui se terminent en *al* ou en *ail*.

? **Le verbe**
A-t-il un ou plusieurs sujets ? Est-il bien accordé avec son ou ses sujets ?
Je me rappelle que le sujet peut être placé avant ou après le verbe, qu'il peut s'agir d'un groupe de mots et qu'il peut être séparé du verbe par un autre mot (le mot écran).

? **Le participe passé employé seul**
Est-il accordé en genre et en nombre avec le nom auquel il se rapporte ?

? **Le participe passé employé avec l'auxiliaire être**
Est-il accordé en genre et en nombre avec le sujet ?

? **Le participe passé employé avec l'auxiliaire avoir**
Ai-je bien accordé en genre et en nombre le participe passé avec le complément direct placé avant le verbe ?

10 COMMENT PRODUIRE UN TEXTE [suite]

SOMMAIRE DES ÉTAPES

Je vérifie l'orthographe des mots.

Pour vérifier l'orthographe des mots, je consulte le dictionnaire. Je commence par les mots au-dessus desquels j'ai mis un point d'interrogation (?) en rédigeant mon texte. Ensuite, je vérifie l'ensemble du texte.

Pour vérifier l'orthographe des mots, je me pose les questions suivantes :

- Ai-je écrit correctement les homophones, c'est-à-dire les mots qui se prononcent de la même façon, mais qui s'écrivent différemment?

> **Exemple**
> Mère, mer, maire.

- Ai-je mis des majuscules là où il le fallait?
- Ai-je fait les élisions nécessaires?

> **Exemples**
> L'escalier *et non* le escalier ;
> l'ampoule *et non* la ampoule.

- Ai-je bien coupé les mots à la fin des lignes?
- Ai-je bien employé le trait d'union?

COMMUNIQUER LE TEXTE

Avant de remettre mon texte à un lecteur ou à une lectrice, je m'assure qu'il est bien présenté.

Pour m'assurer de la qualité de la présentation :

- Je saisis mon texte de préférence à l'ordinateur, sinon je l'écris à la main en soignant mon écriture.
- J'ajoute, s'il y a lieu, des illustrations ou des photos.
- J'ajoute, si cela convient, une page de couverture illustrée.

11 COMMENT FAIRE UN EXPOSÉ ORAL

SOMMAIRE DES ÉTAPES

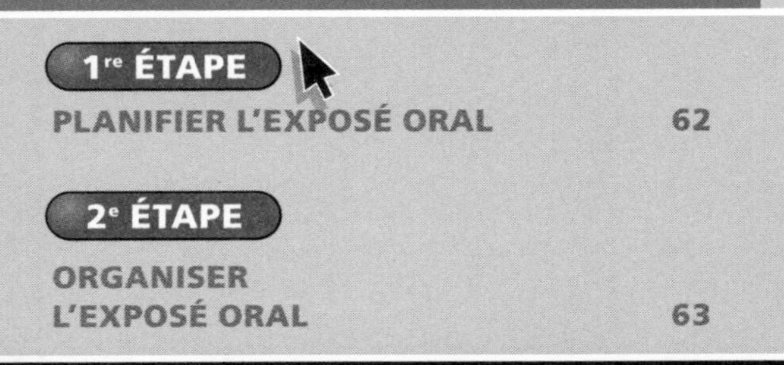

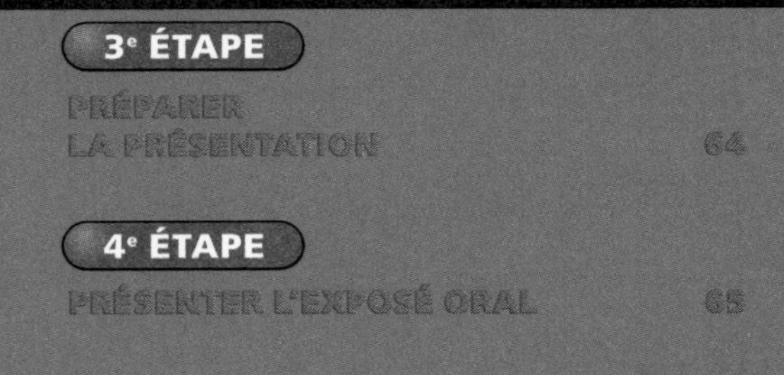

Préparer un exposé demande de la réflexion et de la méthode. Nous verrons que les stratégies proposées pour planifier l'exposé ressemblent à celles que l'on a utilisées pour préparer la production écrite. L'exposé peut être individuel ou collectif. S'il est collectif, les membres de l'équipe doivent s'en partager les différentes tâches.

PLANIFIER L'EXPOSÉ ORAL

Pour dresser le plan de mon exposé oral, je me pose les questions suivantes :

- Quel est le sujet de mon exposé?
- Quelles questions les gens se posent-ils sur ce sujet?
- Pourquoi est-ce que je veux faire cet exposé?
- Pour qui vais-je faire cet exposé?
- Qu'est-ce que l'auditoire connaît sur le sujet?
- Qu'est-ce qui l'intéresse?
- Comment vais-je attirer et garder son attention?
- Comment vais-je l'intéresser à mon sujet?
- De quels éléments d'information ai-je besoin?
- Où et comment vais-je trouver ces éléments d'information?

ORGANISER L'EXPOSÉ ORAL

Après avoir planifié le contenu de l'exposé et trouvé les éléments d'information, je pense à organiser et à structurer cette information.

Pour organiser l'information de mon exposé oral :

- Je structure les éléments d'information en respectant un ordre de présentation.
- Je choisis les moyens que j'utiliserai pour faire ma présentation : transparents et rétroprojecteur, affiches, tableaux, illustrations, photos, dessins, etc.
- Je rédige, sur de petites fiches, mes notes personnelles sous forme d'idées principales.
- Je prévois la façon de faire des liens entre les divisions de ma présentation.

ATTENTION !

Voici quelques trucs pour réussir votre présentation :

- Évitez d'écrire tout l'exposé et de l'apprendre par cœur. N'écrivez que les idées principales et secondaires en suivant votre plan.
- Ajoutez à vos notes des explications et des exemples que vous jugez à propos.

SOMMAIRE DES ÉTAPES

PRÉPARER LA PRÉSENTATION

Pour répéter et mettre au point mon exposé oral :

- Je m'exerce devant quelqu'un ou j'utilise un magnétophone.
- J'évalue le contenu et l'organisation de ma présentation.
- Je modifie ma présentation s'il y a lieu.

PRÉSENTER L'EXPOSÉ ORAL

Pour présenter correctement mon exposé oral :

- J'explique le but et le sujet de mon exposé en précisant les questions auxquelles je veux répondre.
- Je présente un bref résumé de mon exposé et je fais un rappel de ce que les gens savent déjà sur le sujet.
- Je donne de l'information. Si je constate que l'auditoire ne comprend pas, j'ajoute des explications et quelques exemples.

ATTENTION !

Voici quelques trucs pour réussir votre présentation :

1. Restez calme et prenez de grandes respirations.
2. Regardez les gens et observez leurs visages.
3. Modifiez l'intonation de votre voix pour souligner ce qui est important.
4. Utilisez des fiches sur lesquelles vous écrirez votre plan et vos notes.

12 COMMENT COMMUNIQUER

SOMMAIRE

On peut dire que des personnes communiquent quand elles parlent et écoutent à propos d'un même sujet et qu'elles partagent les mêmes intentions de communication.

Pour bien s'exprimer et comprendre les autres, il faut développer les habiletés suivantes.

POSER DES QUESTIONS POUR VÉRIFIER SA COMPRÉHENSION

Pour vérifier ma compréhension durant une discussion de groupe ou un exposé oral :

- Je m'assure toujours de bien comprendre ce que la personne qui parle veut dire.
- Si je ne comprends pas ou si j'ai un doute, j'essaie de savoir pourquoi.
- Tout en respectant la personne qui parle, j'exprime mon incompréhension en posant des questions afin d'obtenir des explications.

ÉCOUTER ET NOTER LES ÉLÉMENTS D'INFORMATION IMPORTANTS

Pour mieux comprendre l'exposé d'une personne :

Avant l'exposé

- Je fais des prédictions sur le contenu éventuel de l'exposé :
  - en utilisant ce que je sais déjà sur le sujet ;
  - en réfléchissant aux buts de l'exposé ;
  - en écrivant quelques questions que je me pose sur le sujet.

Pendant l'exposé

- J'essaie de comprendre et de retenir les éléments d'information importants en m'arrêtant aux points suivants :
  - ce sur quoi l'orateur ou l'oratrice a insisté ;
  - ce qu'il ou elle a répété ;
  - les intonations de sa voix ;
  - le résumé présenté à la fin de l'exposé.
- Je note les éléments d'information que je juge importants par un mot clé, un symbole ou une très courte phrase.
- J'établis des liens entre ces éléments d'information.

À la fin de l'exposé

- Je n'hésite pas à poser les questions qui vont m'aider à mieux comprendre.
- Par moi-même ou avec d'autres, je prends quelques minutes pour résumer les idées principales de l'exposé.

EXPRIMER SON POINT DE VUE

Pour m'aider à exprimer mon point de vue et à accepter celui des autres :

- Je m'exprime :
  - en regardant la personne à qui je parle ;
  - en utilisant un ton à la fois convaincant et respectueux.
- J'explique mon point de vue en fournissant des preuves, des exemples, des explications qui l'appuient.
- Je garde présent à l'esprit que mon point de vue peut être différent de celui des autres ; j'essaie de voir en quoi il peut différer.
- Je prends le temps d'écouter et de comprendre les arguments des autres.
- J'essaie de voir s'il y a moyen de concilier différents points de vue.

RAPPORTER LES PAROLES DE QUELQU'UN

Pour rapporter fidèlement, sans les déformer, les paroles d'une autre personne :

- Je note ses propos.
- Je décris le contexte dans lequel ces propos ont été exprimés en me demandant qui était là et quel était le sujet de la discussion ou de l'entrevue.
- J'explique l'intérêt que j'ai à rapporter ces propos.
- Je répète les paroles telles quelles, en les faisant précéder de mots qui annoncent ce que la personne a dit.
- Je transforme les phrases directes en phrases indirectes.

Exemple

Monsieur Yanovitch a dit que...,
La dame a raconté que...

Exemple

L'ingénieure a dit : « Méfiez-vous de ce produit. »
L'ingénieure a dit qu'il fallait se méfier de ce produit.

13 COMMENT RÉSOUDRE UN PROBLÈME

SOMMAIRE DES ÉTAPES

Que ce soit en mathématiques, en sciences humaines, en sciences de la nature ou dans la vie de tous les jours, nous sommes appelés à résoudre de nombreux problèmes.

Voici une méthode de résolution de problème qui exige de la réflexion. Elle comprend cinq étapes à exécuter dans l'ordre.

COMPRENDRE LE PROBLÈME

Cette étape est la plus importante : il faut bien comprendre un problème pour pouvoir le résoudre.

Voici trois stratégies efficaces que nous pouvons utiliser pour bien comprendre un problème.

- Je lis le problème et je me demande si j'ai les connaissances nécessaires pour le comprendre.
- Je relis le problème et je repère les éléments d'information importants.
- Je crée une image du problème dans ma tête.

■ **Je lis le problème et je me demande si j'ai les connaissances nécessaires pour le comprendre.**

Quand j'ai un problème à résoudre, il faut d'abord que je sache au juste de quoi il est question. Si je ne le sais pas, je demande des explications. Impossible de résoudre un problème qui porte sur un sujet que je ne connais pas, puisque je ne pourrais pas le comprendre. Dans ce cas, ma méthode et mes stratégies de résolution seront inefficaces.

C'est un peu comme essayer de lire un texte qui porte sur un sujet dont on ignore tout. Imaginons que nous ayons à résoudre le problème suivant.

Exemple

Si, de 5 kg de latex on tire 1 kg de caoutchouc et que le prix d'un kilo de caoutchouc est de 10,50 $, quels seront les revenus de M. Hai Hoc si sa plantation compte 150 hévéas et que la production de chaque arbre est de 30 kg ?

Ce problème peut paraître très difficile : nous n'avons pas, dans notre mémoire, les connaissances de base nécessaires pour le comprendre. Il porte sur un sujet qui ne nous est pas familier, soit la production de caoutchouc naturel.

Par contre, ce problème serait assez facile à résoudre par de jeunes élèves de Malaisie ou d'Indonésie qui savent très bien, eux, comment on produit le caoutchouc naturel.

Exemple

Ils savent déjà qu'un hévéa est un arbre qui produit du latex et que ce latex fournit le caoutchouc.
Ils trouveraient assez facilement que les 150 hévéas de M. Hai Hoc produisent 4 500 kg de latex et que ces 4 500 kg donnent 900 kg de caoutchouc, qui rapportent 9 450 $.

ATTENTION !

Vous devez vous renseigner sur le sujet ou le thème d'un problème si vous ne le connaissez pas.

13 COMMENT RÉSOUDRE UN PROBLÈME [suite]

SOMMAIRE DES ÉTAPES

Je relis le problème et je repère les éléments d'information importants.

Pour repérer l'information importante dans un problème :

- J'utilise mes expériences personnelles pour préciser le contexte du problème.
- J'indique ce que je cherche en réfléchissant à ce que sera la réponse finale.
- Je souligne les mots clés qui sont des éléments d'information importants.
- Je biffe les éléments d'information inutiles.

Examinons le problème suivant.

Exemple

Pour ton anniversaire, ta mère a accepté de t'aider à construire une cage pour tes cinq lapereaux. Après avoir fait le plan de la cage, vous constatez que vous aurez besoin de 5,5 m de planches, de 3 m² de grillage métallique et de 500 g de clous.

À la quincaillerie située à 5 km de votre maison, l'employée vous informe que la planche se vend 2,50 $ le mètre, que le grillage coûte 5,25 $ le mètre carré et que les clous se vendent 6,00 $ le kilo. Tu remarques que tous ces produits sont fabriqués au Canada. La vendeuse vous informe que ces prix incluent toutes les taxes. Ta mère et toi comptez l'argent que vous avez en poche : 43,75 $.

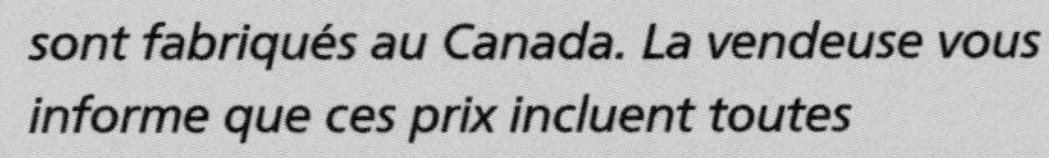

Après avoir payé les planches, le grillage et les clous, combien vous restera-t-il d'argent?

Pour repérer les éléments d'information importants dans ce problème, je me pose les questions suivantes :

- Quel est le contexte du problème?

Exemple
Pour construire une cage à lapins, une mère et son enfant achètent des matériaux.

- Qu'est-ce qu'il faut trouver?

Exemple
Combien il leur restera d'argent après leurs achats.

- Quels sont les mots clés, c'est-à-dire les éléments d'information importants? *(À souligner.)*

Exemple
Ils ont besoin de 5,5 m de planches, de 3 m² de grillage métallique et de 500 g de clous. La planche se vend 2,50 $ le mètre, le grillage coûte 5,25 $ le mètre carré et les clous se vendent 6,00 $ le kilo. Ils ont 43,75 $ en poche.

- Quels sont les éléments d'information inutiles? *(À biffer.)*

Exemple
~~La quincaillerie est à 5 km de la maison.~~
~~Tous les produits sont fabriqués au Canada.~~

Je crée une image du problème dans ma tête.

- Je lis le problème à plusieurs reprises. Pour m'aider à le comprendre, j'essaie d'en faire un dessin, un tableau, un schéma.
- Je me le raconte dans mes propres mots, comme si c'était une histoire.

POURQUOI?

Se faire une image mentale d'un problème est une stratégie importante qui aide :

- à savoir ce qu'il faut trouver ;
- à mieux comprendre le problème ;
- à trouver les éléments d'information importants.

SOMMAIRE DES ÉTAPES

CONCEVOIR UN PLAN DE RÉSOLUTION

Pour concevoir un plan de résolution de problème :

- J'imagine une façon possible de résoudre un problème.
- Je détermine les étapes à franchir.
- Je décide de l'ordre dans lequel ces étapes seront franchies.

ATTENTION !

Méfiez-vous de la première façon de résoudre un problème qui vous vient à l'esprit. *Il peut y en avoir d'autres.*

Voici un plan que nous pourrions utiliser pour résoudre le problème de la cage à lapins.

Ce plan comporte les opérations à exécuter et l'ordre dans lequel il faut les exécuter.

Exemple

- calculer *le prix du bois en multipliant 5,5 m par 2,50 $;*
- calculer *le prix du grillage en multipliant 3 m² par 5,25 $;*
- calculer *le prix des clous en multipliant 500 g (donc 0,5 kg) par 6,00 $;*
- calculer *le coût total des matériaux en additionnant le prix du bois, du grillage et des clous ;*
- calculer *ce qui reste d'argent en soustrayant le montant total des achats du montant en poche à l'arrivée, soit 43,75 $.*

METTRE LE PLAN DE RÉSOLUTION À EXÉCUTION

Pour exécuter le plan de résolution :

- Je réalise les étapes que j'ai prévues dans le plan.
- S'il y a lieu, j'effectue les calculs et je vérifie s'ils sont exacts.

VÉRIFIER LA RÉPONSE FINALE

Voici une stratégie efficace qui permet de faire une première évaluation de la solution. Elle consiste à **estimer** la réponse en arrondissant les nombres donnés dans le problème.

Exemple

Dans le problème de la cage à lapins,

- *le bois coûterait environ 12,00 $ (soit 5 X 2,50 $) ;*
- *le grillage, environ 15,00 $ (soit 3 X 5 $) ;*
- *les clous, environ 3,00 $ (la moitié de 6,00 $).*

Si le coût total est d'environ 30,00 $ et qu'ils avaient 43,75 $ en poche, la réponse devrait être environ 13,00 $.

ÉVALUER LA DÉMARCHE SUIVIE

Après avoir résolu le problème, j'évalue non seulement l'exactitude de ma réponse, mais aussi les stratégies qui ont conduit à cette résolution.

Je me demande si j'aurais pu :

- faire autrement ;
- faire mieux ;
- terminer plus rapidement.

POURQUOI?

Le fait d'évaluer notre démarche nous permet d'en trouver les points forts et les points faibles. Cela nous apprend aussi à imaginer en quelles occasions il nous faudra utiliser de nouveau cette démarche.

14 COMMENT MENER UNE RECHERCHE DOCUMENTAIRE

Faire une recherche, c'est tenter de répondre à des questions ou de résoudre des problèmes. Voici les étapes d'une méthode de travail qui facilite la recherche documentaire.

SOMMAIRE DES ÉTAPES

PLANIFIER LA RECHERCHE

La planification de la recherche est une étape très importante qui exige du temps, de la réflexion et de l'attention.

POURQUOI?

Une bonne planification permet de gagner beaucoup de temps au moment de la recherche de l'information.

- **Je précise le but et le sujet de ma recherche.**

  Pour préciser le but et le sujet de ma recherche :
  - Je détermine la raison de ma recherche : informer, résoudre un problème, répondre à une question, décrire, expliquer, etc.
  - Je dresse une liste de sujets.
  - Je choisis deux ou trois sujets en tenant compte de l'information disponible.
  - Je retiens un sujet.

- **Je décide à qui s'adresse ma recherche.**

  Je dois décider qui sont les destinataires de ma recherche : vais-je la présenter à des camarades de classe, à des collègues, à des correspondants ou à des correspondantes, à mes parents?

Je choisis le moyen de communication.

Pour choisir un moyen de communication, je me pose les questions suivantes :

- Est-ce que je ferai une présentation orale ou écrite?
- Quels genres de documents vais-je présenter (texte accompagné d'illustrations ou de photos, album, affiche, vidéocassette, etc.)?
- Est-ce que j'utiliserai le courrier électronique?
- Est-ce que je préparerai un exposé, une saynète, une démonstration, un mime, etc. ?

Je détermine l'information dont j'ai besoin.

Après avoir choisi le sujet et le moyen de communication, je dois déterminer l'information dont j'ai besoin.

POURQUOI?

Cette tâche est importante : elle nous évitera de perdre du temps et nous guidera vers la prochaine étape de recherche de l'information.

ATTENTION !

Voici un truc qui vous aidera à déterminer de quel type d'information vous avez besoin : rédiger des questions.

Par exemple, si votre recherche porte sur les Amérindiens au XVIe siècle, posez-vous les questions suivantes :

- Où vivaient-ils?
- Comment se logeaient-ils?
- De quoi se nourrissaient-ils?
- Comment s'habillaient-ils?
- Avaient-ils des croyances religieuses?
- Quelles langues parlaient-ils?

14 COMMENT MENER UNE RECHERCHE DOCUMENTAIRE [suite]

SOMMAIRE DES ÉTAPES

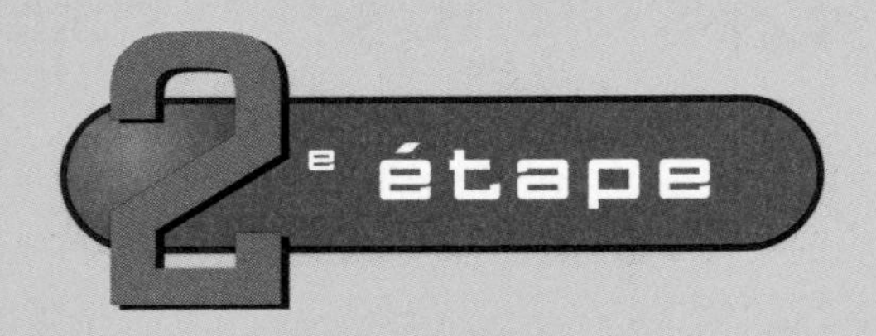

TROUVER L'INFORMATION

Pour trouver l'information dont nous avons besoin, nous devons parcourir divers documents.

Afin de trouver l'information :

- **Je cherche dans différents documents écrits et visuels.**

> **Exemple**
> *Je peux me rendre à la bibliothèque et consulter des ouvrages de référence : encyclopédies, manuels, atlas, vidéocassettes, disques optiques compacts (cédéroms), etc. Pour trouver un ouvrage, je peux utiliser les fichiers sujets, titres et auteurs, ou consulter une bibliographie portant sur le sujet de ma recherche.*

- **Je cherche dans Internet.**

> **Exemple**
> *Je peux utiliser des moteurs de recherche comme AltaVista, Francité, etc.*
> *Je peux aussi utiliser des banques d'adresses électroniques déjà constituées.*

Quel que soit le document choisi, je le parcours pour avoir une idée de l'information qu'il contient :

- en me rappelant mes questions ;
- en consultant la table des matières et l'index ;
- en faisant un survol des pages choisies.

SÉLECTIONNER L'INFORMATION

Dans les documents que nous consultons, nous recueillons généralement beaucoup trop d'information. Il faut donc déterminer quels éléments d'information nous seront utiles.

Pour sélectionner l'information pertinente :

- **Je survole les textes :**
  - en lisant l'introduction ;
  - en lisant les titres et les intertitres ;
  - en observant les illustrations.

- **J'évalue les éléments d'information et je les compare :**
  - en repérant les passages qui portent sur un même sujet ;
  - en montrant les ressemblances et les différences entre ces passages ;
  - en m'assurant que ce qui est écrit est un fait réel et non une opinion ;
  - en restant critique, particulièrement en ce qui concerne Internet dont les sources ne sont pas toujours sûres ;
  - en choisissant les passages à retenir et en notant l'endroit où je les ai trouvés.

- **J'écris les idées principales en les reformulant dans mes mots.**

ATTENTION !

Il ne s'agit pas de recopier le texte mot à mot, mais bien de rédiger des phrases dans vos propres mots.

14 COMMENT MENER UNE RECHERCHE DOCUMENTAIRE [suite]

SOMMAIRE DES ÉTAPES

4e étape

ORGANISER L'INFORMATION

Les résultats de la recherche, c'est-à-dire les éléments d'information retenus, doivent être organisés en vue d'être présentés.

Pour organiser l'information :

- **Je dresse tout d'abord un plan.**
  - Je prévois une introduction dans laquelle :
    - je présenterai brièvement mon sujet ;
    - je préciserai pourquoi ce sujet m'intéresse ;
    - je formulerai mes questions ;
    - je préciserai où et comment j'ai trouvé l'information.
  - Je structure chaque paragraphe en fonction de l'information à transmettre.
  - Je prévois une brève conclusion.

- **Je rédige un brouillon ou je structure l'exposé.**
  - Je rédige un brouillon en suivant mon plan et en tenant compte des destinataires ainsi que du moyen de communication choisi.
  - Si je fais un exposé, je structure l'information en rédigeant mes notes de présentation personnelles sur des fiches.

- **Je révise mon travail.**
  - Je m'assure que mon travail répond bien à mes questions de départ.
  - Je réécris le texte au propre.

COMMUNIQUER LES RÉSULTATS

Pour communiquer efficacement les résultats :

Dans le cas d'une communication écrite

- Je veille à ce que la présentation de mon texte soit soignée.
- Je présente des tableaux statistiques, des photos ou des dessins.

Dans le cas d'une communication orale

- Je m'exerce devant des camarades ou des parents.
- Je me prépare à fournir de l'information ou des explications supplémentaires.
- Je montre des objets, des illustrations ou des affiches pendant la présentation.

Je peux aussi utiliser l'ordinateur pour écrire le compte rendu de ma recherche. Je peux même le faire parvenir par courrier électronique à des correspondants et à des correspondantes.

15 COMMENT S'INFORMER

SOMMAIRE

La visite éducative, l'entrevue et l'observation sont trois moyens efficaces qui nous aident à nous informer.

LA VISITE ÉDUCATIVE

Pour faire une visite éducative fructueuse :

Avant la visite

- Je lis la documentation sur l'endroit à visiter (musée, usine, mairie, etc.).
  Cette lecture m'aide à me faire une idée sur ce que je vais voir.
- Je formule des questions et je précise quels éléments d'information je cherche en dressant une liste d'objets, de personnages ou de phénomènes à observer.

Pendant la visite

- Je recueille l'information : j'observe bien, je pose des questions et je note les réponses. Je demande de la documentation, s'il y a lieu.

Après la visite

- J'analyse l'information recueillie et je la complète, s'il y a lieu.
- Je fais une synthèse en organisant l'information et en recourant au besoin à des schémas, à des tableaux synthèses, etc.

ATTENTION !

Si les questions sont nombreuses, vous les partagerez avec les membres de votre groupe.

L'ENTREVUE

Pour mener une bonne entrevue :

Avant l'entrevue

- Je m'informe sur le sujet de l'entrevue.
- Je m'informe sur la personne à rencontrer.
- Je dresse une liste de questions.
- Je prévois une façon de noter les réponses.

Pendant l'entrevue

- Je pose les questions.
- Je note les renseignements importants.
- Je demande de la documentation, s'il y a lieu.

Après l'entrevue

- J'analyse l'information et je vois s'il manque quelque chose.
- Je fais une synthèse en organisant l'information et en recourant au besoin à des schémas, à des tableaux synthèses, etc.

L'OBSERVATION

Pour observer efficacement :

- Je me donne un but de recherche en précisant ce qu'il faut chercher ou ce qu'il faut observer.
- Je recueille l'information en utilisant mes sens (la vue, le toucher, l'odorat, le goût, l'ouïe), mais aussi des instruments (une loupe, un microscope, une balance, etc.).
- Je note l'information pertinente, c'est-à-dire celle qui répond au but fixé au départ.
- Au besoin, je peux ajouter un dessin, un schéma, une illustration.

16 COMMENT MENER UNE RECHERCHE EXPÉRIMENTALE

SOMMAIRE DES ÉTAPES

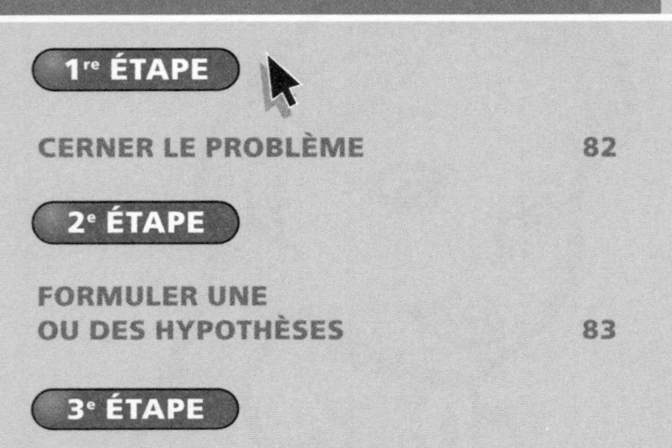

CERNER LE PROBLÈME

Pour bien cerner et comprendre le problème :

- Je l'énonce sous forme de questions.
- Je formule les questions pour qu'elles soient les plus précises possible.
- Je choisis celles qui correspondent le mieux à ce que je cherche.
- J'élimine des questions au besoin.

Exemple

Des élèves ont mis de la neige colorée dans un pot de verre contenant de l'eau chaude. Après avoir observé ce qui se passait, les élèves ont discuté et se sont posé la question suivante : pourquoi l'eau colorée cherche-t-elle à descendre?
Cette question leur a donné l'idée d'entreprendre une recherche expérimentale.

FORMULER UNE OU DES HYPOTHÈSES

Formuler des hypothèses, c'est énoncer des réponses plausibles, faire des prédictions ou des suppositions raisonnables.

Dans l'exemple précédent, les élèves ont formulé les hypothèses suivantes :

Exemple

- *Trois élèves croient que l'eau froide est moins lourde que l'eau chaude.*
- *Quatorze élèves croient que l'eau froide et l'eau chaude ont le même poids.*
- *Dix élèves croient que l'eau froide est plus lourde que l'eau chaude.*

Les élèves décident de faire une expérience pour savoir quelle hypothèse est la bonne.

PLANIFIER LES EXPÉRIENCES

Pour bien planifier mes expériences :

- Je dresse, par moi-même ou avec d'autres, une liste d'expériences susceptibles de confirmer ou d'infirmer les hypothèses.
- Je choisis l'expérience la plus pertinente.
- Je rassemble le matériel nécessaire.

Pour vérifier leurs hypothèses, les élèves planifient trois expériences.

1. Les élèves prévoient mettre délicatement de la neige colorée dans de l'eau très chaude contenue dans un pot de verre. À mesure que la neige fondra, les élèves surveilleront ce qui arrivera à l'eau froide colorée.
2. À l'aide d'un pic à glace, les élèves prévoient maintenir un cube de glace coloré au fond d'un pot de verre contenant de l'eau très chaude. À mesure que la glace fondra, les élèves observeront ce qui arrivera à l'eau colorée.
3. À la surface de l'eau glacée contenue dans un pot de verre, les élèves prévoient déposer délicatement, à l'aide d'une cuillère, de l'eau colorée très chaude. Les élèves observeront ce qui arrivera à l'eau chaude.

16 COMMENT MENER UNE RECHERCHE EXPÉRIMENTALE (suite)

SOMMAIRE DES ÉTAPES

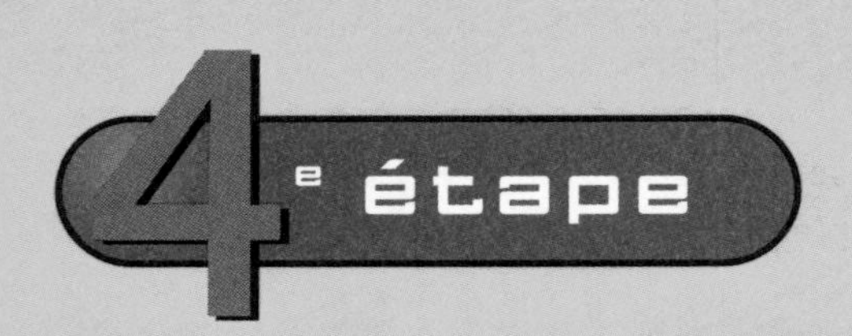

RÉALISER LES EXPÉRIENCES

Au cours de cette étape, il faut faire preuve de précision, d'attention et de minutie en manipulant les instruments et en effectuant les opérations.

Pour mener une expérience avec rigueur :

- Je m'assure que le matériel est adéquat.
- Je réalise toutes les expériences avec minutie.
- Je prête attention à tous les détails.

NOTER LES RÉSULTATS

Pour noter les résultats de l'expérience :

- Je décide du moment où je les noterai (tout au long de l'expérience, à certains moments précis ou à la fin).
- Je prévois la façon de les noter :
  - par écrit (c'est la méthode habituelle) ;
  - à l'aide d'un dessin ;
  - à l'aide d'un tableau statistique ou d'un graphique (quand il y a des mesures et des données chiffrées).

TIRER UNE CONCLUSION

La conclusion sert à consigner un point de vue personnel sur l'expérience. Il faut d'abord confirmer ce point de vue en se fondant sur plusieurs résultats identiques provenant de différentes expériences. La répétition de résultats identiques augmente la validité de la conclusion.

On doit cependant y glisser des expressions comme « il est probable que... », « il semble que... », « peut-être pourrais-je conclure que... ».

On doit savoir douter, car les résultats sont souvent trompeurs et peuvent entraîner des conclusions erronées.

Pour être en mesure de tirer une conclusion :

- Je m'assure d'avoir en main plusieurs résultats.
- Je compare mes résultats avec ceux d'expériences semblables menées par d'autres.
- J'émets une opinion en introduisant une expression qui suggère le doute.

COMMUNIQUER LES RÉSULTATS

Le compte rendu de la recherche peut se faire oralement ou par écrit.

Pour communiquer les résultats dans un rapport de recherche :

- Je décris le problème ou la question qui motive la recherche.
  En présentant le problème ou la question à l'origine de l'expérience, je montre en quoi la recherche était nécessaire et je donne des explications sur ce que je voulais trouver.
- Je présente l'hypothèse ou les hypothèses retenues et j'explique pourquoi elles ont été retenues.
- Je décris comment l'expérience a été menée et je précise les moyens utilisés pour noter l'expérience.
- Je présente ces résultats.
  En mettant au propre les notes prises au cours de l'expérience, je dois faire preuve d'une grande précision et donner tous les détails nécessaires. Je dois m'efforcer de présenter tous les résultats, même ceux avec lesquels je ne suis pas d'accord.

17 COMMENT COMPARER

SOMMAIRE

La comparaison permet de faire ressortir les ressemblances et les différences entre des éléments. Je peux, par exemple, comparer un élément inconnu avec un élément connu : je retiendrai ainsi plus facilement les connaissances nouvelles.

Pour bien comparer

- **Je précise les éléments à comparer (deux ou plus).**

Exemple

Je compare deux types de jeux vidéo.

- **Je détermine les critères les plus importants.**

Exemple

Dans le cas des jeux vidéo, je peux examiner :

- *leur degré de difficulté,*
- *l'efficacité de la manette,*
- *la qualité graphique,*
- *la rapidité d'exécution,*
- *la qualité sonore.*

POURQUOI?

Comparer des éléments nous permet :

- de découvrir de nouveaux éléments d'information ;
- d'établir des liens entre les connaissances nouvelles et les anciennes ;
- d'évaluer les avantages et les inconvénients de divers éléments ;
- de prendre des décisions et de faire des choix.

- **J'observe les éléments à comparer en fonction de chaque critère.**

Exemple

J'observe les deux jeux vidéo pour connaître leur degré de difficulté, l'efficacité des manettes, la qualité graphique, la rapidité d'exécution et la qualité sonore.

- **Je note par écrit les différences et les ressemblances que j'observe.**

Pour présenter les résultats de ma comparaison, je peux utiliser un **tableau synthèse**.

CRITÈRES	JEU A	JEU B
Difficulté	élevée	élevée
Efficacité de la manette	excellente	bonne
Graphisme	très bon	excellent
Exécution	ultrarapide	rapide
Son	médiocre	médiocre

Je peux aussi utiliser un **schéma.**

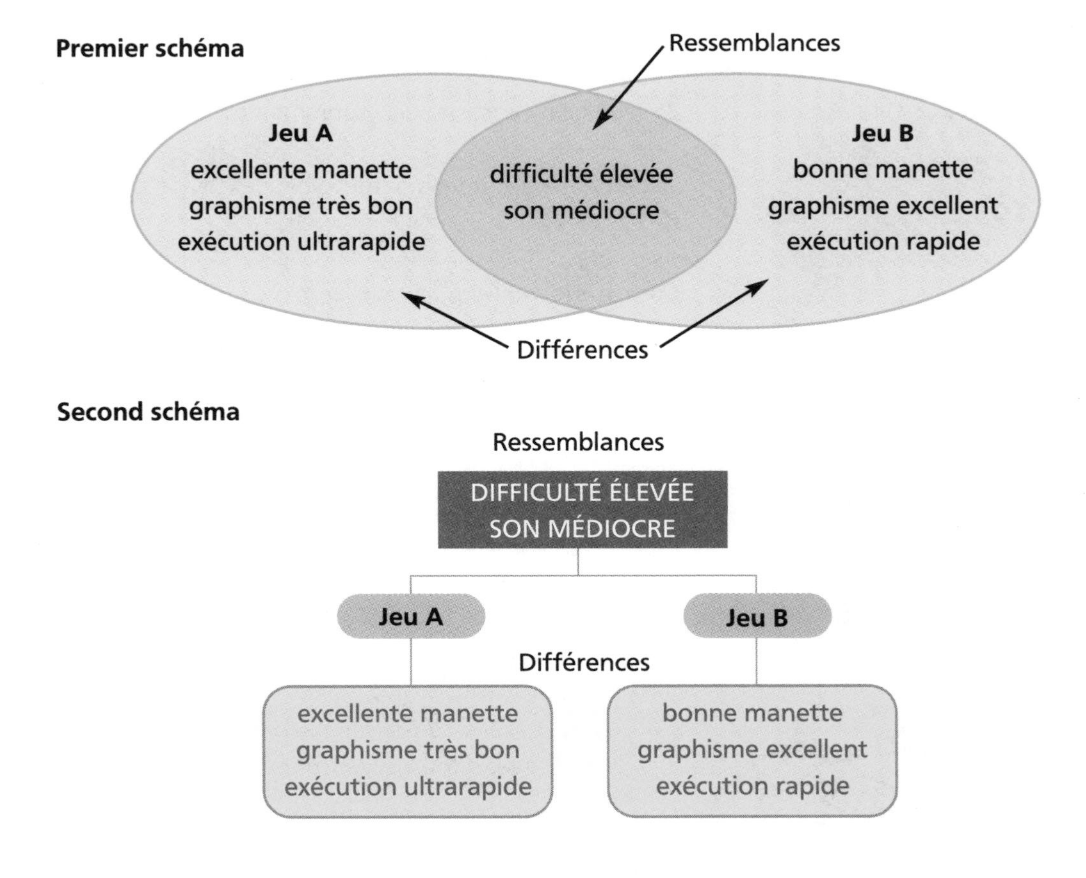

18 COMMENT ANALYSER

SOMMAIRE

L'analyse est une des habiletés intellectuelles les plus utilisées lors de l'apprentissage. De plus, on recourt très souvent à l'analyse quand il faut répondre à des questions. L'analyse consiste à décomposer un tout en ses parties, à établir les relations entre les parties d'un tout ou à trouver les causes et les conséquences d'un fait, d'un événement.

Exemples d'analyses

Exemple 1 : Analyser le fonctionnement d'une voiture électrique miniature

Voici une façon de procéder pour comprendre le fonctionnement d'une voiture électrique miniature.

- Je définis l'information que je cherche.

Exemple

Je veux savoir comment le moteur fait tourner les roues.

- Je démonte la voiture afin de pouvoir examiner chacune de ses pièces.

Exemple

Carrosserie, moteur, roues d'engrenage, suspension, direction, etc.

- J'essaie de comprendre le rôle de chacune des pièces.

Exemple

Je constate que l'électricité fait tourner le moteur qui fait lui-même tourner les roues. Je constate aussi que, entre le moteur et les roues, les roues d'engrenage jouent un rôle important.

- J'essaie d'établir des relations entre les pièces.

Exemple

Je vois que les roues d'engrenage permettent au moteur de faire tourner les roues de la voiture.

- Je fais un dessin pour illustrer des roues d'engrenage.

Exemple 2 : Analyser le contenu d'une phrase

L'analyse d'une phrase permet de mieux comprendre le fonctionnement de la langue et d'écrire plus efficacement.

Pour analyser le contenu d'une phrase :

Les loups-garous effraient les petits enfants depuis toujours.

- Je décompose la phrase en mots ou en groupes de mots.
  Je constate qu'il y a trois groupes : un groupe du nom sujet (GNs), un groupe du verbe (GV) et un groupe prépositionnel (GPrép).

Les loups-garous effraient les petits enfants depuis toujours.

- Je remarque que le groupe du verbe est formé du verbe *effrayer* (au présent de l'indicatif), auquel s'ajoute un groupe du nom, *les petits enfants,* complément du verbe.
- Je remarque aussi que le groupe prépositionnel est composé de la préposition *depuis* et de l'adverbe *toujours.* La phrase restera grammaticale si ce groupe est déplacé ou éliminé. Le groupe prépositionnel apporte quand même une précision importante qui modifie le sens de la phrase.

Déplacement du groupe prépositionnel

Les loups-garous effraient les petits enfants **depuis toujours.**
Depuis toujours, les loups-garous effraient les petits enfants.
Les loups-garous, **depuis toujours,** effraient les petits enfants.

Élimination du groupe prépositionnel

Les loups-garous effraient les petits enfants ~~depuis toujours.~~
Les loups-garous effraient les petits enfants.

- Je peux décomposer les groupes du nom et constater qu'ils comprennent tous deux un déterminant (Dét.) et un nom auxquels s'ajoute, dans le cas du groupe du nom complément du verbe, un adjectif (Adj.).

GV
GNs GN GPrép
Les loups-garous effraient les petits enfants depuis toujours.
Dét. N Dét. Adj. N

- Je peux observer la relation entre le GNs et le GV ou la relation entre le déterminant et le nom dans le groupe du nom pour comprendre la notion de pluriel et les marques du pluriel dans une phrase.
  3e pers. plur.
  Les loups-garous effraient les petits enfants depuis toujours.
- En conclusion, je constate que la phrase comprend trois groupes de mots totalisant neuf mots, dont huit sont différents.

18 COMMENT ANALYSER [suite]

SOMMAIRE

Exemple 3 : Analyser un récit d'aventures

Analyser un récit permet de mieux comprendre l'histoire et toutes les relations qui existent entre les personnages et entre les actions, mais aussi de mieux voir l'organisation du récit.

Nous pourrons ensuite mettre nos connaissances à profit dans nos propres récits d'aventures.

Pour analyser un récit d'aventures :

- Je définis l'information que je cherche.
- Je délimite les différentes parties du récit.
- Je repère les personnages importants.
- Je trouve les relations qui existent entre ces personnages.
- Je détermine l'ordre dans lequel se déroulent les actions et j'explique pourquoi elles se succèdent dans cet ordre.

Voici une schématisation qui peut servir à analyser un récit d'aventures.

LES PARTIES DU RÉCIT

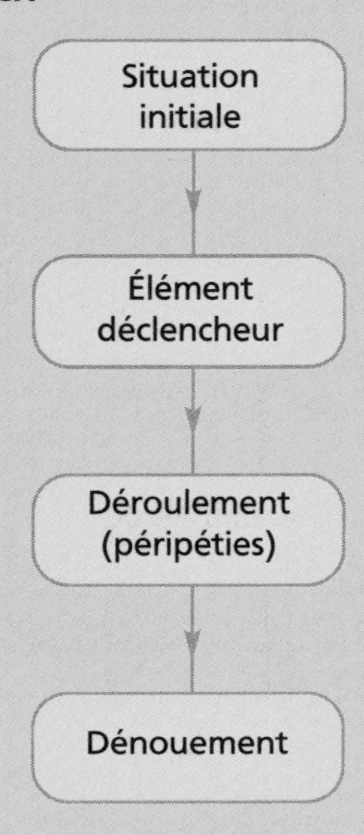

Exemple 4 : Analyser un phénomène

Analyser un phénomène, c'est en chercher les causes et les conséquences. Supposons qu'une rivière de notre région soit polluée et que nous voulions savoir pourquoi. Il faudra faire une analyse de l'eau, c'est-à-dire en prélever un échantillon et l'examiner en laboratoire pour savoir ce qu'elle contient. Après avoir identifié les produits contaminants, nous arriverons à en déduire la provenance. Nous pouvons ensuite illustrer les résultats de notre analyse dans un schéma comme celui-ci.

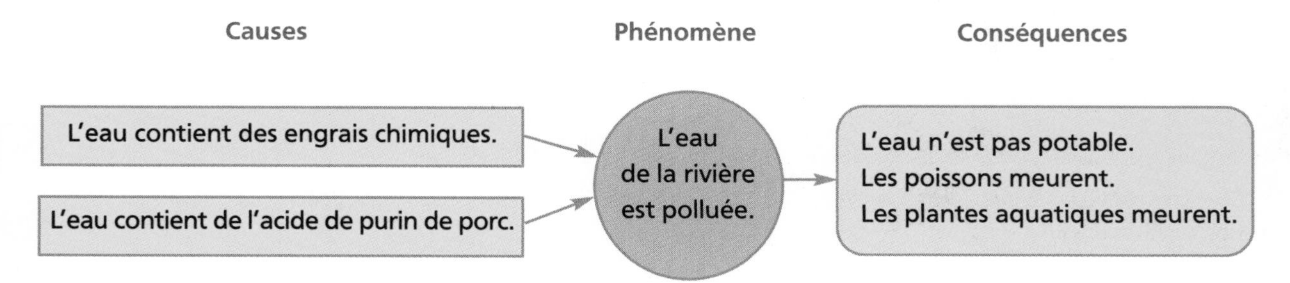

Comme l'illustre ce schéma, l'analyse a permis de trouver les causes du phénomène, c'est-à-dire les causes de la pollution. Elle a aussi permis de déterminer les conséquences de ce phénomène.

En somme, analyser c'est :

- identifier les composantes d'un tout ;
- établir les liens entre ces composantes ;
- trouver les causes ;
- trouver les conséquences.

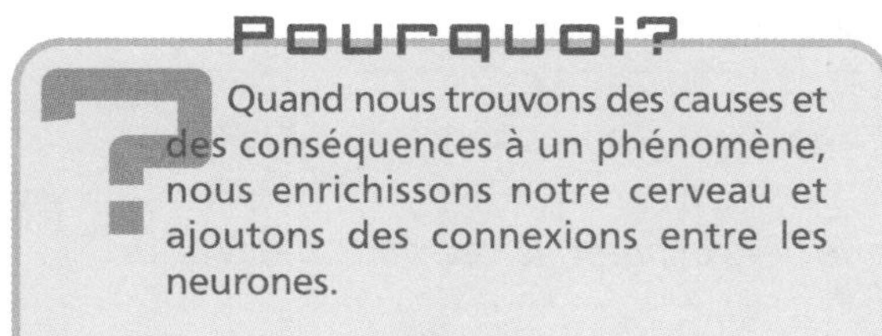

Pourquoi?

Quand nous trouvons des causes et des conséquences à un phénomène, nous enrichissons notre cerveau et ajoutons des connexions entre les neurones.

19 COMMENT CLASSIFIER

SOMMAIRE

La classification consiste à regrouper plusieurs éléments (objets, animaux, événements, personnes, etc.) dans différentes catégories. En établissant ainsi des liens, on comprend et on mémorise mieux.

Pour classifier des éléments

- **Je dresse la liste des éléments.**

Exemple

Érables, pins, épinettes, chênes, sapins, bouleaux, pruches, hêtres.

- **J'observe chaque élément pour déterminer ses caractéristiques.**

Exemple

Les arbres qui ont des feuilles, les arbres qui ont des cônes, les arbres qui ont des aiguilles, etc.

- **Je regroupe dans une même catégorie les éléments qui ont les mêmes caractéristiques.**

Exemple

La catégorie des arbres qui ont des cônes et des aiguilles, la catégorie des arbres qui ont des feuilles.

- **Je donne un nom à chaque catégorie.**

Exemple

La catégorie des conifères, la catégorie des feuillus.

Pour présenter les résultats de la classification, j'utilise un schéma.

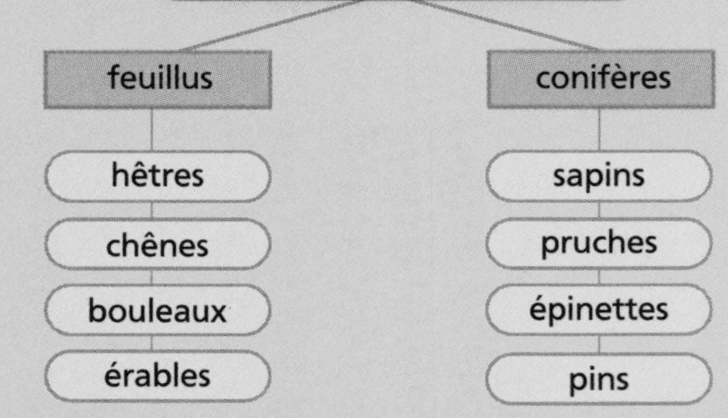

SOMMAIRE

Pour bien s'exprimer et se faire comprendre par les autres, il faut développer des habiletés. C'est le cas lorsque nous voulons expliquer ou livrer un message informatif.

Pour expliquer un phénomène

- Je nomme, au début de la discussion ou de l'exposé, le phénomène en question.
- Je présente les étapes qui constituent l'ensemble du phénomène.
- Je décris le phénomène :
  - en précisant comment, quand et où il se manifeste ;
  - en décrivant les faits tels qu'ils sont, avec des mots qui illustrent les objets, les personnes et leurs actions.
- Je présente les causes du phénomène en précisant si elles sont certaines ou probables.
  Les causes sont certaines si elles ont fait l'objet de recherches rigoureuses ; elles sont probables si elles ne sont que des hypothèses non vérifiées.
- J'utilise des intonations particulières pour souligner l'importance de certaines idées.
- J'illustre ce que j'ai à dire en utilisant divers moyens : tableaux, photos, illustrations, schémas, etc.

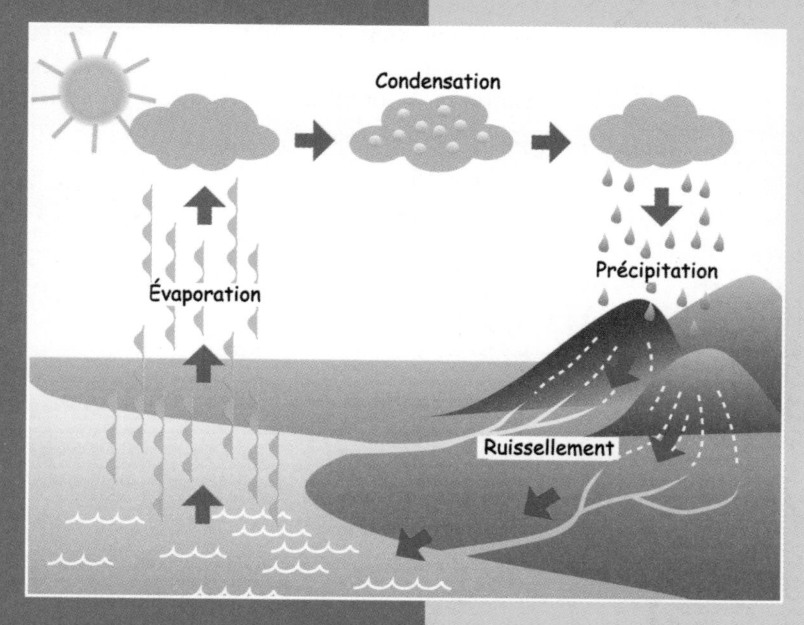

**Exemple :
Le cycle de l'eau**

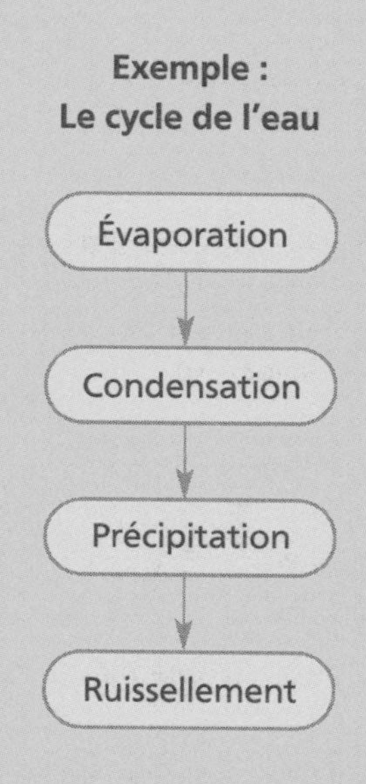

Index des mots clés

En commençant par la fin...

Voici l'index des mots clés pour t'aider à te retrouver dans ce livre. Tu peux t'y référer afin de trouver les renseignements que tu cherches.

Imagine maintenant que tu veux faire un travail de recherche et de rédaction. Quels mots de l'index seraient utiles pour t'aider à accomplir ce travail ?

N'oublie pas! Consulte l'index aussi souvent que tu le désires. C'est une bonne manière d'utiliser *Complètement Métho.*

A

B

C

D

E

F

H

I